MONTAGNES RUSSES

JoÈve Dupuis

MONTAGNES RUSSES

ÉDITIONS DE MORTAGNE

Catalogage avant publication de Bibliothèque et Archives nationales du Québec et Bibliothèque et Archives Canada

Dupuis, JoÈve, 1983-

Montagnes russes
(Tabou ; 26)
Pour les jeunes de 14 ans et plus.

ISBN 978-2-89662-417-1

I. Titre. II. Collection : Tabou ; 26.

PS8607.U681M66 2015 jC843'.6 C2014-942430-2
PS9607.U681M66 2015

Édition
Les Éditions de Mortagne
C.P. 116
Boucherville (Québec) J4B 5E6
Tél. : 450 641-2387
Télec. : 450 655-6092
editionsdemortagne.com

Dépôt légal
Bibliothèque et Archives Canada
Bibliothèque et Archives nationales du Québec
Bibliothèque Nationale de France
1er trimestre 2015

ISBN 978-2-89662-417-1
ISBN (epdf) 978-2-89662-418-8
ISBN (epub) 978-2-89662-419-5

1 2 3 4 5 – 15 – 19 18 17 16 15

Imprimé au Canada

Nous reconnaissons l'aide financière du gouvernement du Canada par l'entremise du Fonds du livre du Canada pour nos activités d'édition et celle du gouvernement du Québec par l'entremise de la Société de développement des entreprises culturelles (SODEC) pour nos activités d'édition. Gouvernement du Québec – Programme de crédit d'impôt pour l'édition de livres – Gestion SODEC.

Membre de l'Association nationale des éditeurs de livres (ANEL)

Nous ne devons pas avoir peur
de nous confronter.

Du chaos naissent les étoiles.

Charlie Chaplin

SOMMAIRE

PROLOGUE
JE M'APPELLE DOROTHÉE

Mon secondaire est ordinaire.

J'ai fumé mon premier joint à treize ans. Viré ma première brosse en troisième secondaire, dans un parc, et fait mon entrée dans les bars à l'âge de seize ans, fausse carte en main. Il manque à mon parcours, ou plutôt à ces cinq années de banalité, le grand amour. J'y rêve jour et nuit. Il faut absolument que je me fasse un chum avant de décrocher mon diplôme, sinon mon passage dans cet établissement scolaire restera incomplet à jamais.

Quand je récapitule ma quête de l'âme sœur, je déprime. J'accuse un retard sur les autres filles de mon âge parce que je n'ai jamais eu de vrai copain; ce qui est pathétique, puisque ce n'est pas mon choix. Au contraire, je voudrais bien que quelqu'un s'intéresse à moi.

Mes histoires de cœur sont synonymes d'embarras, du type je me fends d'un «je pensais qu'on sortait ensemble» et le jeune garçon de rétorquer un «non» arrogant. L'humiliation totale. Il y a plusieurs exemples comme celui-là. Chacun de ces trop courts récits finit par: «Il m'a laissée seule avec mes histoires de princesse (déchue).» Selon ma meilleure amie Steph, c'est juste parce que je n'ai jamais rencontré le bon. Moi, je crois plutôt que ceux sur qui je jetais mon dévolu n'étaient pas prêts pour un amour comme celui que je leur promettais. Le rejet fait donc partie intégrante de mon épopée auprès de la gent masculine.

Mon manque de relation amoureuse officielle ne m'a pas empêchée de faire des expériences. J'ai embrassé un garçon pour la première fois en jouant à la bouteille, sans connaître personnellement le propriétaire de la langue qui s'entortillait autour de la mienne. Je peux décrire ma première relation sexuelle complète avec un seul mot: étrange. Un qualificatif qui dit bien que je ne savais pas trop quoi faire, ni pourquoi je le faisais. Et c'est à ça que je pensais pendant que le gars essayait d'avoir l'air de s'y connaître, lui. *Niet* excitation. J'ai plutôt eu droit à un mélange de malaises et de n'importe quoi. J'ai d'abord cru que c'était la faute de «la première fois», alors j'ai recommencé (avec un gars différent). Encore déçue, j'ai mis ça sur le compte de mon inexpérience. En quête de ce plaisir, de cette jouissance dont tout le monde fait l'éloge, je suis revenue à la charge; j'ai réitéré mon désir d'aimer le sexe à plusieurs reprises. En d'autres mots, j'ai couché avec une vingtaine de gars durant la troisième année de mon secondaire. Juste pour faire comme tout le monde, sans que ce soit empreint d'amour, comme ça semble l'être pour les autres filles de mon école. Après ces expériences troublantes, perturbantes et insatisfaisantes, je n'ai jamais osé aller plus loin que des baisers et quelques caresses avec les garçons que j'ai brièvement fréquentés. Voilà une raison de plus pour moi de trouver l'amour au plus vite : je veux faire l'amour pour de vrai.

Je me demande si les histoires que les autres filles relatent sont véridiques, parce que leur description de leur « première fois » ne ressemble en rien à mon expérience. J'ai entendu de vive voix les confessions de certaines de mes consœurs concernant la passion qui anime leurs ébats sexuels. Pour le reste, c'est Stéphanie qui me raconte la plupart de ces feuilletons, ces amourettes du secondaire. Parce qu'elle joue à la ringuette, elle a un accès privilégié aux potinages de toute son équipe. En plus, elle fait partie du comité social de l'école, alors elle sait à peu près tout de tout et, surtout, elle me conte tout. Pas de chance, Steph est vierge. Donc, à part quand elle me rapporte les propos des autres, elle ne peut pas m'être d'une grande aide dans ma quête de vérité sur les premiers rapports sexuels supposément agréables et jouissifs. On est en retard toutes les deux, chacune à notre manière. Reste que je la considère comme ma seule vraie amie, et j'en suis heureuse.

Durant mes cinq ans dans cette polyvalente, j'ai fréquemment changé d'amis, Stéphanie mise à part. Je dirais que j'ai fait partie de presque toutes les gangs de l'école. Je les ai essayées une à une. Mais, au bout du compte, je me suis rendue à l'évidence que je n'ai d'affinités avec aucun groupe en particulier. D'un côté, je trouve chanceux ceux qui appartiennent au même clan depuis la première année du secondaire. D'un autre côté, leurs vies me semblent ennuyantes. Quand je regarde en arrière et que j'essaie de comprendre pourquoi j'ai changé d'amis aussi souvent, je me dis que c'est simplement parce que je suis de nature à me désintéresser des autres rapidement ou, comme le répète ma mère, que « c'est normal de chercher sa place dans ce grand monde durant cette période difficile qu'est l'adolescence ».

Écœurée de chercher mon âme sœur et de m'efforcer à m'intégrer, j'ai opté pour la rébellion au début de la quatrième secondaire. Sous le thème de « je m'efface parce que je n'en ai rien à foutre », j'ai adopté le look col roulé, jeans, foulards et espadrilles, et j'ai pris mon trou. Ç'a fonctionné : personne ne s'en est rendu compte.

Oubliée, je n'ai plus été invitée aux fêtes, mais je ne m'en suis jamais offusquée, car je ne m'amusais pas vraiment dans les partys. Je voyais bien qu'on me jugeait et c'était évident que je n'y avais pas ma place. On a souvent utilisé le mot «*weird*» pour me décrire, ou encore «agace». Selon Steph, tout le monde se traite de tous les noms de nos jours et il ne faut pas y prêter attention. C'est facile pour elle de dire ça, tout le monde l'aime bien. Moi, la méchanceté me rentre dedans comme un dix-huit roues qui n'a pas de freins. Incapable de passer outre aux commentaires dirigés contre moi, je dois être d'une sensibilité extrême. Inapte à adopter une gang après quatre ans et demi, j'ai accepté d'être différente. Point.

Mes parents ne sont pas du même avis. Ils disent à leurs amis que je suis une adolescente comme les autres et qu'ils sont si heureux d'avoir une fille comme moi que c'est «facile». Ma mère est avocate. Mon père, investisseur – son grand-père était propriétaire d'un hôtel, son père a quintuplé le nombre d'établissements, transformant la petite entreprise familiale en une chaîne hôtelière dont mon père est aujourd'hui le président. Maman est toujours sur mon dos. Papa est toujours en voyage. Ma mère me tape sur les nerfs depuis bientôt cinq ans et elle répète que c'est répandu comme situation: «Une mère et sa fille se chicanent pour des peccadilles.» Point de vue confidences, mes parents sont *ex æquo*. Elle est toujours là pour moi. Papa, lui, lors de ses courtes escales entre deux voyages d'affaires, a le don de rattraper le temps perdu.

MONTAGNES RUSSES

Je vis dans une immense maison. Juste à voir le nombre de portes de garage, c'est évident que je viens d'une famille riche. Pas de frère ni de sœur. Pas de poisson rouge ni de chat. Tous les yeux sont braqués sur moi. Toutes les ressources ont été mises à ma disposition pour que je réussisse ma vie sociale et professionnelle : nouvelle garde-robe chaque début de septembre, tuteur en cas de besoin, camps d'été huppés. Et, pourtant, j'ai parfois l'impression d'être un échec sur deux pattes.

UN MOT DE STÉPHANIE
JE SUIS CHANCEUSE

Être la meilleure amie de Dorothée Cardinal, c'est un privilège. Une exclusivité qui vient avec des obligations. Je vais toujours me souvenir de la première fois où je l'ai vue, assise à la cafétéria, lors de la première semaine du secondaire. Moi, je connaissais déjà plusieurs élèves parce que j'ai fait mon primaire à l'école publique du quartier, contrairement à Dorothée, qui était allée dans un collège privé. Je joue au soccer l'été et à la ringuette l'hiver depuis que j'ai huit ans, et mon frère Félix joue au hockey. Le sport m'a amenée à rencontrer presque tous les jeunes de la petite ville où j'habite.

Quand j'ai osé lui adresser la parole, ça faisait deux semaines que je la regardais manger son lunch toute seule. Je suis du genre à observer et à analyser.

Je me plaisais à contempler sa chevelure blonde, légèrement ondulée. Une vraie pub de shampoing! J'entendais les gars parler d'elle: «La Belle au bois dormant débarque à la polyvalente!» Aux gens qui lui demandaient si elle désirait s'asseoir avec eux, elle répondait, avec un mince sourire, lèvres pincées, tête légèrement penchée sur le côté, un «non merci» digne d'une duchesse. À force d'essayer de m'expliquer pour quelle satanée raison une si belle fille voudrait rester toute seule, je me suis tannée et je me suis dirigée vers sa table avec mon dessert.

— Bonjour! Moi, c'est Stéphanie. Je ne sais pas comment tu t'appelles, mais je te trouve belle. Et puis je ne comprends pas pourquoi tu restes là, toute seule. Tu sais, le secondaire dure cinq ans, alors tu devrais peut-être te faire au moins une amie, lui ai-je précisé avec un brin d'humour.

Ah, les yeux qu'elle avait quand elle a levé la tête vers moi! Deux billes turquoise. J'ai failli lui dire d'emblée que je voulais échanger mes yeux café colombien contre les siens, bleu caribéen, mais je me sentais encore plus petite que mon un mètre cinquante-sept, alors je me suis ravisée et j'ai continué à l'observer. Elle semblait offusquée et contente en même temps. J'ai interprété cela comme de la surprise entremêlée de gêne. Et ce fut à son tour de m'étonner de sa réponse:

— Est-ce que tu connais les jumeaux assis à la table du fond ? Si oui, tu es ma nouvelle meilleure amie.

— Oui. Euh… non. Mais oui. Ils sont tellement beaux.

C'est à ce moment-là qu'elle m'a souri. Je me suis installée à ses côtés et lui ai offert un biscuit au chocolat.

— Dorothée. Tu peux m'appeler Do, se présenta-t-elle.

— Cool. Eux, c'est Jeff et Joe. C'est tout ce que je sais à propos des jumeaux.

— Lequel est Joe ? Lequel est Jeff ? Ils se ressemblent beaucoup, de loin en tout cas.

— Je ne sais pas. Ils sont tous les deux sportifs, ça paraît dans leur style vestimentaire. Mais, avec leurs casquettes qui leur cachent la moitié du visage, c'est difficile de les différencier. Et, pas de chance, je n'ai aucun cours avec eux. Toi ?

— Non plus. Si j'étais moins gênée, j'irais me présenter. Pourquoi tu n'y vas pas, tu es bonne pour faire les premiers pas, s'esclaffa-t-elle en m'adressant un sourire coquin.

— Je ne saurais pas quoi leur dire. Moi, les beaux gars, ça me met mal à l'aise. Mais tu sais quoi ? Je crois qu'à deux, on a plus de chances de devenir amies avec eux, lui lançai-je avec entrain.

MONTAGNES RUSSES

J'ai fait visiter l'école à Do, ma nouvelle amie. Je lui ai présenté tous les gens que je connaissais. Dorothée est facile à aimer, mais, comme dans tout ce qui touche à cette belle blonde, il y a une contradiction. Sa présence est appréciée de tous, mais elle n'apprécie pas tout le monde. C'est souvent noir ou blanc et ça passe soudainement d'un ton à l'autre, avec elle. Je me souviens : en deuxième secondaire, elle passait tout son temps avec le groupe de meneuses de claques et, deux mois plus tard, elle ne leur adressait plus la parole (elle n'a jamais voulu m'expliquer pourquoi, d'ailleurs). En somme, elle a à la fois beaucoup et très peu d'amis. Un tas de connaissances et, comme elle aime le clamer haut et fort, « une vraie et unique meilleure amie ! »… Moi.

Même scénario en amour. Do n'a pas encore eu de chum et c'est à n'y rien comprendre. Il y a au moins une quinzaine de gars à l'école qui ont voulu sortir avec elle. Chaque fois, l'histoire se répète. Elle le trouve merveilleux, l'accompagne dans un party, se balade main dans la main avec lui dans les corridors de la polyvalente, jure que c'est le bon et, du jour au lendemain, plus rien. Soit elle l'aimait plus qu'il ne l'aimait, soit il n'avait pas assez d'ambition, soit il voulait coucher avec elle et elle non, soit il ne lui accordait pas assez d'importance, soit il la collait trop en public… Toujours est-il que tous ces « faux hommes de sa vie », comme je me plais à les surnommer, n'étaient pas comparables à Joe.

Joe, le frère de Jeff, l'un des jumeaux. L'obsession de Dorothée depuis la première semaine d'école. C'est surtout après avoir couché avec un gars – qui ressemblait beaucoup à Joe – dans un party, « sur un coup de tête » comme elle le dit si bien, qu'elle a développé une fixation sur lui. Si elle change souvent d'idée, ma meilleure amie n'a jamais dérogé à son désir de connaître intimement les jumeaux. Ensemble, on parle d'eux comme des gars les plus cool et les plus beaux de la planète ! On a fini par en faire notre fantasme commun... Mais, de mon côté, c'est moins sérieux que de celui de Dorothée, ça me fait plus rigoler qu'autre chose que de nous imaginer sortir avec des frères. Alors, bien que Joe et Jeff puissent être les petits-cousins de Brad Pitt avec leurs cheveux châtains et leur mâchoire carrée, je ne me suis pas empêchée d'avoir un chum durant presque deux ans ; un gars passionné de sciences et coincé en amour. Comme je suis une fille qui laisse les choses aller, il ne s'est presque rien passé de physique entre nous deux. On s'embrassait pendant des heures, sans plus. On a rompu quand il est déménagé. Ça va faire six mois et je m'en suis remise rapidement. Selon Do, il est temps qu'on rencontre nos princes charmants et, surtout : « Ça urge qu'on fasse l'amour. »

Dorothée a raison. Je me suis donné comme mission de faire l'amour avant d'obtenir mon diplôme du secondaire. Reste juste à trouver avec qui.

CHAPITRE 1
TOUT EST POSSIBLE LE 31 DÉCEMBRE, À MINUIT MOINS UNE

Dorothée

— Ça ne me tente pas, informé-je Stéphanie sur un ton catégorique.

— Tu ne peux pas me faire ça, déclare-t-elle, visiblement déçue.

— Le fait d'être ma meilleure amie ne t'autorise pas à décider de ce que je dois faire ou pas.

— Tu étais enthousiaste comme dix, hier. Pourquoi tu n'as soudain plus du tout envie de fêter le jour de l'An à la soirée donnée par tes parents ?

— Pas de raison en particulier. Ça ne me tente plus. C'est tout, affirmé-je.

— Je sais que la motivation va te revenir, alors, en tant que ta meilleure amie qui ne veut pas passer la dernière soirée de l'année seule, et encore moins commencer la prochaine en solitaire, je viens chez toi.

— Tu vas te déplacer pour rien, on va rester enfermées dans ma chambre.

— Bon… On verra ! J'arrive ! lance-t-elle avant de raccrocher à la hâte pour, de toute évidence, m'empêcher de répliquer.

J'attends Stéphanie en faisant la moue, assise sur le sofa du salon, à regarder le propriétaire du service de traiteur transporter les boîtes remplies de hors-d'œuvre. Le jeune homme – qui sera tantôt vêtu d'un beau pantalon noir, d'une chemise blanche et du classique nœud papillon – fait des allers-retours entre le vestibule et la cuisine. Je me dis que c'est la routine pour lui.

— Bonjour, me salue-t-il poliment.

Bingo ! je l'ai assez fixé pour qu'il me remarque. Sa bonne humeur m'intrigue. Songeuse, les yeux braqués sur lui, j'essaie de deviner pourquoi un bel homme comme lui devient traiteur dans la vie… Pourquoi vouloir être une ombre dans les belles soirées ?

J'entends ma mère qui donne des indications à toute l'équipe : « Les crevettes dans ce frigo. Les desserts dans l'autre, s'il vous plaît. » À l'écouter, je me rends compte que j'ai un point commun avec le reste du monde : dans tous les cas, c'est ma mère qui décide ! D'ailleurs, la matrone s'en vient dans ma direction avec son air interloqué, un sourcil relevé, les yeux écarquillés, la bouche qui sourit sans montrer les dents.

— Ma chérie, qu'est-ce que tu fais là, assise sur le sofa comme un mollusque ?

— Maman, je n'ai pas l'intention de faire partie du cirque que tu organises ce soir, déclaré-je en me vautrant avec nonchalance.

— Voyons, ma belle, ce n'est pas un cirque ! Et puis tu aimes ces fêtes, d'habitude. Qu'est-ce qui se passe ?

— Rien. Je suis tannée de toujours faire la même chose. J'ai envie de changer de routine, râlé-je.

— Tu vas être contente, j'ai engagé un nouveau groupe de musique, cette année. *Adios* le classique, ça va bouger et tout le monde va danser ! clame ma mère en se dandinant le bassin.

Impossible de freiner son enthousiasme, alors je capitule et lui lance un « cool, maman » avec zéro entrain dans la voix. Pas de surprise en vue, c'est la même rengaine chaque année : la famille élargie, les amis de mes parents… tout ce beau monde se pavanera dans la maison, flûte de champagne à la main.

Mon père est en ville – c'est mon expression favorite pour dire qu'il n'est pas en voyage d'affaires – depuis deux semaines et repartira seulement quand je recommencerai l'école, au début de janvier. Disons que ça aussi, ça donne des ailes à maman.

— Do !

D'un pas festif, ma meilleure amie fait son entrée.

— Les gars qui déchargent le camion viennent de sortir une batterie ! Il n'y aura donc pas de violons ce soir ? m'interroge-t-elle en regardant partout, impressionnée par le décor.

Stéphanie adore la soirée mondaine organisée par mes parents la veille du jour de l'An.

— Non. Pas de violons. Un *band* rock, selon ma mère, baragouiné-je, indifférente.

— C'est cool!

— Cool?

Décidément, mon humeur diffère de celle de mon entourage.

— Oui, on va pouvoir danser! Viens, on va dans ta chambre, je veux te montrer ma robe, chantonne mon amie sur un ton entraînant.

— T'es drôle, Stéphanie Rochon! Tu arbores le look *tomboy* à longueur d'année avec tes pantalons et tes t-shirts de tes équipes sportives préférées et, le 31 décembre, tu te transformes en princesse.

— Tu le sais, j'aime les traditions. Je te rappelle que tu as insisté pour que je porte une robe la première fois que tu m'as invitée. Souviens-toi de notre premier party ensemble et des heures consacrées à nous préparer. Et puis, je m'habille dans le genre sportif, pas à la garçonne, plaisante-t-elle.

Elle me fait rire. Je la regarde, avec ses pantalons assortis à son gilet rouge du Canadien. Je dois avouer qu'elle a quand même du style, ma meilleure amie, avec son kit qui s'accorde avec sa crinière auburn.

— Je ne sais pas pourquoi tu m'observes comme ça, mais grouille, il est dix-huit heures et la fête commence à vingt heures trente ; ça nous donne juste deux heures et demie pour nous transformer. Je veux faire mes ongles, ils sont dégueu. Faut aussi que je me lave les cheveux et que tu me les sèches et me les attaches… en autre chose qu'en queue de cheval.

Sa motivation dépasse de loin mon entrain. Je n'ai pas l'énergie de me répéter. Je fais la moue en guise de réponse.

— Je ne te crois pas. Tu vas changer d'idée. Tu changes toujours d'idée, conclut-elle avec aplomb.

Steph m'entraîne à l'étage. Aussitôt que nous arrivons dans ma chambre, elle prend possession des lieux. Elle agrémente l'ambiance de notre musique préférée et danse. Le rythme déchaîné de ses pas et son roulement de bassin exagéré ont raison de mon humeur ; je ne peux pas m'empêcher de rire.

— On commence par se coiffer ?

Mon amie a le regard entêté d'une petite fille qui veut se métamorphoser en femme pour la soirée. Je n'ai pas le temps de répondre qu'elle disparaît dans la salle de bain.

J'entends l'eau couler. Aussi bizarre que ça puisse paraître, Steph a toujours aimé prendre sa douche chez moi, tout simplement parce qu'elle adore le bain de vapeur intégré et, surtout, parce que j'ai ma propre salle de bain (ce qu'elle trouve démesuré même si elle ne s'en passerait plus !). Elle répète chaque fois que j'ai un spa dans ma chambre. Moi, ce que j'aime de « mon domaine », c'est mon grand balcon. Des portes vitrées donnent sur un petit espace extérieur où j'ai installé une chaise suspendue. Un endroit où me pendre quand ça va mal, tout en restant en vie.

Allongée, j'écoute nos chansons favorites s'enchaîner. Je rumine. J'oscille entre mes options pour ce soir. Mon processus, c'est exactement comme d'enlever les pétales d'une marguerite un à un en disant « il m'aime, il ne m'aime pas », sauf que moi, je dis « je fête, je ne fête pas », « je fais plaisir à mes parents, je les déçois », « je m'amuse avec mon amie, je la contrarie ». L'hésitation fait partie de ma vie. Le doute aussi.

Finalement, c'est Stéphanie qui m'incite à me brancher. Elle sort de la salle de bain avec tout l'attirail nécessaire à sa transformation. Vernis à ongles rouge, mascara, ombres à paupières, séchoir, fer à friser... Ça arrive une fois par année... Je ne peux pas dire non.

— Tu veux quoi ? demandé-je à Steph. Des boudins ?

Une fois ses boucles fixées et ses cheveux remontés, mon amie a une allure soignée. Moi, j'opte pour le fer plat sur toute la longueur. On rit en se métamorphosant en femmes, on feuillette les magazines de mode et on se dit que, pour un soir, on peut bien se permettre de se maquiller plus qu'à l'habitude.

— On a vraiment réussi notre look ! Merci de m'avoir convaincue de me pomponner, ça me remonte le moral, confié-je à Steph, sincère.

Elle me regarde avec ses yeux brillants. J'ai maintenant envie de voir tous les invités. C'est à mon tour de l'entraîner.

Ma mère et mon père nous observent. Se tournent l'un vers l'autre. Se retournent vers nous.

— Maman ? Ça va ?

Je ne peux pas m'empêcher de lui dire cela sur mon nouveau ton semi-décontracté, semi-cinglant. Je sais que je « sonne » désagréable, mais c'est plus fort que moi.

— Vous êtes magnifiques. Je suis si heureuse que vous soyez à la maison ce soir ! L'an prochain, vous voudrez probablement passer la soirée du Nouvel An dans un bar, nous dit ma mère qui, je peux le deviner, est très heureuse de voir que j'ai délaissé ma coquille de mollusque.

— En effet, maman. Profites-en, c'est la dernière fois qu'on fête avec vous !

Et ma mère de continuer sur son ton solennel :

— Les filles, vos robes vous vont à ravir !

Elle se tourne ensuite vers son mari.

— Chéri, notre fille devient une femme, elle va terminer son secondaire dans six mois.

Mon père se contente de nous regarder et de lancer :

— Si ce sont des femmes et qu'elles seront bientôt majeures et vaccinées, elles peuvent boire du champagne !

— Merci, papa ! dis-je, étrangement fébrile.

Finalement, cette soirée débute dans la joie. Je sens naître en moi un élan de liberté, alors je décide d'en profiter au maximum.

— OK, on va s'amuser, ce soir ! déclaré-je à ma meilleure amie, qui sautille à mes côtés.

Je sais que ma bonne humeur fait plaisir à mes parents et à Stéphanie. À certains moments, lors d'événements particuliers, comme ce soir, je constate que j'ai un réel pouvoir sur l'ambiance qui règne autour de moi. Je crois que je suis née avec cette capacité d'influencer les autres.

— *Nice.* Là, tu parles! Je propose qu'on fasse le tour et qu'on salue tout le monde, déclare miss sociable.

Il doit être presque minuit parce que, sur la piste de danse, mon oncle Arthur, le frère de mon père, avec son légendaire verre de scotch à la main, ne fait même plus semblant de danser pour reluquer les fesses des femmes autour de lui. Un classique. Il y a des choses qui ne changent pas. Mon père va bientôt le tirer à l'écart et gentiment lui proposer de boire de l'eau pour le restant de la soirée. La suite, ça dépend; on ne sait jamais comment va réagir mon oncle Arthur. Comme tout bon ivrogne, il reste imprévisible dans sa prévisibilité.

— Il est minuit moins dix, me crie Steph d'une voix survoltée.

— *Go!*

J'attrape la main de mon amie, l'entraîne dans la cuisine et agrippe une bouteille de champagne et un sac de bretzels. Direction: le garage. Steph ne pose pas de question. Elle sait où on va faire le compte à rebours: dans une des autos de collection de mon père, seules.

— Vite ! Laquelle pour cette année ? Aston Martin ? J'hésite. Que dis-tu de la vieille Ferrari ? la questionné-je, joyeuse.

Notre choix s'arrête finalement sur la Porsche 356 rouge avec intérieur en cuir beige. Je m'assois côté conducteur. L'approche de la nouvelle année fait battre mon cœur de plus en plus fort. Je me sens comme Cendrillon. Comme si j'allais me transformer. Mais, contrairement au personnage du conte de fées, je passerai de fille ordinaire à fille populaire au douzième coup de minuit.

— Ça y est ! Les gens au salon crient à tue-tête ! clame ma meilleure amie, tout sourire.

— Dix, dis-je en entamant le compte à rebours avec ardeur.

— Neuf, hurlons-nous en chœur.

— Huit.

— Sept.

Je continue de compter tout en me dépêchant de faire sauter le bouchon de la bouteille.

— Bonne année !!!

Je me retourne vers Steph et je lui donne un baiser sur la bouche. Elle reste un peu surprise, mais m'enlève la bouteille des mains et boit une bonne gorgée. Je reprends le champagne, et Steph ouvre le sac de bretzels. Au même moment, nos deux téléphones sonnent. « Bonne année, mes cocottes ! xoxoxox » C'est un texto de Félix, le frère de Steph.

— Mon frère ! s'exclame cette dernière. Toujours là ! À minuit pile ! Il est génial.

C'est vrai que Félix est super. Il pourrait facilement gagner le trophée du grand frère de l'année. En plus d'être gentil, intelligent et sportif… il est grand et a un petit je-ne-sais-quoi qui fait craquer les filles de l'équipe de ringuette de Steph. Moi, j'aurais bien aimé avoir un frérot aussi cool.

— Je propose qu'on fasse juste des souhaits pour la nouvelle année. Au diable les résolutions ! lancé-je, pétillante.

— Je veux devenir amie avec Jeff avant la fin de l'année scolaire. Depuis qu'il s'est rasé les cheveux, il est plus craquant que jamais, déclare Steph, à ma grande surprise.

— Je surenchéris et affirme que tu dois *sortir* avec Jeff. Moi, avec Joe. Réalisons notre fantasme de jumeaux !

— C'est vrai qu'on y pense depuis la première secondaire. Mais, par définition, un fantasme, c'est dans l'imaginaire, commente Steph avec un ton rationnel que je considère comme inapproprié à la situation.

— Arrête de penser comme une petite fille conventionnelle qui ne fera jamais rien d'extraordinaire dans la vie. C'est une nouvelle année, il faut que ça change, et je sais comment faire tourner le vent en notre faveur. Je vais devenir la fille la plus populaire de l'école et on sera invitées dans toutes les fêtes ; les jumeaux vont nous adorer et on va aller au bal avec eux. Cool, non, mademoiselle Rochon ?

— Cool, oui, mais reste à voir si c'est réalisable.

— Ne sois pas rabat-joie. Arrête d'être logique pour deux minutes. Ce n'est pas avec un esprit pratique qu'on devient maître de son destin, lui assuré-je.

Ma confiance déborde. Je jubile. Mon amie sourit. Je bois des bulles. Ma tête tourne. Je bascule dans le bonheur.

— Tu ne le sais peut-être pas encore, mais tout changera, je te le jure. Cette nouvelle année est le point de départ d'une nouvelle vie. Dans six mois, on aura notre diplôme. Encore du champagne pour l'occasion ! m'exclamé-je, euphorique, comme si je m'adressais à une foule en délire.

Stéphanie refuse la bouteille. Tant pis pour elle, je vais la terminer au nom de la liberté !

CHAPITRE 2
RÉINVENTER SA VIE, UNE POSSIBILITÉ À EXPLORER

Stéphanie

Regarder Dorothée dormir, c'est comme voir un ange se reposer.

Ma meilleure amie n'a pas la même tête qu'hier soir. Il m'a fallu toute mon énergie pour la traîner et franchir l'escalier et le long couloir qui mènent à sa chambre. Do insistait pour mettre son pyjama à pattes. « Steph ! Mets-moi mon pyjama à pattes rose pour que je dorme comme un bonbon. » Après l'avoir entendue répéter cette phrase une dizaine de fois, eh bien, je me suis lancée et lui ai enfilé son fameux *one-piece.* Elle s'est tout de suite réfugiée dans les bras de Morphée.

Moi, sans recevoir un « merci » ni un « bonne nuit », je me suis démaquillée et confortablement installée au chevet de mon amie enivrée. J'ai l'habitude de prendre soin d'elle. Pas à cause de ses excès, car, avant hier, je ne l'avais jamais vue aussi soûle. Dans les partys, quand elle se décide à m'y accompagner, Dorothée se contente d'une bière ou deux. Je dis que je m'occupe souvent d'elle parce qu'elle a plus de problèmes que moi, plus de peine, plus d'accrochages avec ses parents. Des peccadilles, selon moi, qui ne durent jamais bien longtemps, mais, quand elle a de la peine, je l'écoute et je lui offre mon épaule pour qu'elle pleure. Dorothée est hyper émotive et moi, assez rationnelle. C'est ce qui fait de nous un super duo. Selon mon frère, j'ai une attitude maternelle envers mon amie. Enfin, il radote des choses comme cela depuis qu'il a commencé ses cours de psychologie dans le cadre de ses études en techniques policières. Il s'entête à m'observer, il passe plus de temps avec mes amies et moi depuis quelques mois, parce qu'il est persuadé que nous sommes de la matière première pour ses exercices d'analyse du comportement adolescent.

— Hé…, marmonne celle qui ressemble à un gros bonbon rose.

Do ouvre les yeux.

— Bonjour, mon amie !

— Salut, bafouille-t-elle d'une voix rouillée.

— Es-tu maganée ? lui demandé-je, curieuse de connaître l'ampleur des dégâts causés par tout le champagne ingurgité hier.

— Je ne sais pas trop. Un peu. On aura la réponse quand je vais passer de l'horizontale à la verticale.

— Ha ! Ha ! T'es drôle.

— Est-ce qu'on se fait un café avant de peaufiner notre plan ? suggère Dorothée, qui semble retrouver ses sens.

— *Go* pour le café, mais de quoi tu parles ? Tu as rêvé à quoi ?

— Je n'ai rêvé à rien. On a fait le pacte de changer de vie, hier. Tu ne t'en souviens pas ? s'étonne-t-elle, sérieuse.

— Je me rappelle qu'on a évoqué le souhait d'aller au bal avec les jumeaux. C'est sûr que ça me tente encore. Mais la seule chose qui sonne comme « pacte », dans mes souvenirs d'hier, c'est qu'on était paquetées !

Je rigole. Ça me fait rire de voir Do lendemain de veille et motivée en même temps.

— Arrête de niaiser. Stéphanie, l'évocation de vœux à minuit, c'est du solide. À minuit, le 31 décembre, tout peut changer. Il faut juste y croire. C'est un moment solennel qu'il ne faut pas prendre à la légère.

Je déteste quand Dorothée me parle sur ce ton hautain. Comme si elle me faisait la leçon. La conviction qui l'habite et la certitude qu'elle a en ses affirmations – aussi bidon qu'elles puissent être parfois – la transforment en mère supérieure. C'est castrant comme comportement, mais, avec le temps, j'ai appris que rien ne sert de la contredire, parce que ça va juste finir en argumentation non constructive et qu'elle va me bouder. Malgré son apparence de fille modèle, cette jolie blonde peut être diabolique. J'exagère, mais reste que son ton condescendant commence à m'irriter drôlement.

— Dorothée ! Tu ambitionnes, là ! Ce n'était pas un pacte. On ne s'est rien juré, me défends-je.

C'est ce que je me contente de dire, parce que, si mon amie est toujours convaincue de ce qu'elle avance, moi, je suis pour la nuance. Et, après tout, je ne veux pas commencer l'année sur une mauvaise note. C'est vrai que la première journée de l'an a un aspect officiel. Ma grand-mère raconte que les vingt-quatre heures suivant le coup de minuit du 1er janvier donnent le ton aux trois cent soixante-quatre autres jours et déterminent l'essence des mois à venir.

— Je te le dis. On va sortir avec les jumeaux et, pour concrétiser le projet avant la fin du mois de juin, si on veut aller au bal avec eux, je vais m'arranger pour qu'on soit invitées à tous les partys de l'école. Les plus cool. On va être les plus cool.

Je savais qu'elle répliquerait !

— Ton optimisme m'épate, surtout en ce 1er janvier. Je n'aurais pas cru ça de toi quand je t'ai traînée de peine et de misère jusque dans ton lit. Tu étais soooooûûûûûlllllleeee, la taquiné-je, dans l'espoir de redonner un peu de légèreté à ce premier matin de l'année.

— Reviens-en, je me suis amusée et j'ai peut-être un tantinet exagéré, mais ça ne change rien à mon objectif. Je vais réfléchir sérieusement aujourd'hui et trouver le moyen de faire tourner les têtes. On va avoir plein d'amis.

Son sérieux m'étonne. Elle est réellement décidée.

— Do, j'ai déjà plein d'amis.

— Ne te vexe pas, mais tes amies, ta gang de la ringuette ou celle du club social, elles ne sont pas assez cool pour qu'on soit invitées dans les fêtes où on aurait l'occasion d'être en compagnie des jumeaux.

Ça y est. Do est sur le mode défensif. On dirait qu'elle a oublié qu'elle refuse catégoriquement de venir aux fêtes organisées par les gens de l'école depuis presque un an. Je ne vais surtout pas le lui rappeler ; je n'ai pas envie qu'on se chicane. Je me contente de lui faire mon sourire de nouille sympathique, ce qui lui donne de l'élan :

— Moi, j'y crois. Je te jure que ça va arriver. Tu seras contente quand tu sortiras avec Jeff et que Joe sera mon chum. Si tu ne me crois pas, tant pis. Je n'ai besoin de personne pour avoir ce que je veux.

La Dorothée entêtée que je connais ressurgit. Comme le dit sa mère : « Quand elle veut quelque chose, ma fille devient tout à coup très débrouillarde. » Mon amie se plaît à répliquer : « Quand elle veut quelque chose, ma mère devient tout à coup très fatigante. » Contrairement à elle, j'aime bien jaser avec Suzanne. Je trouve que c'est une femme ouverte d'esprit. Elle cherche toujours à nous aider et elle répète sans cesse que « l'adolescence ne dure pas aussi longtemps qu'on peut le croire et il faut profiter de tout le temps qu'on a maintenant, puisque, quand on commence à travailler, la vie va vite ». Do, elle, se plaint que sa mère pose trop de questions et cherche à tout savoir. Elle croit que c'est pour la surveiller et la contrôler. Moi, je pense que Suzanne pose beaucoup de questions simplement parce qu'elle est avocate et que c'est une déformation professionnelle. Rien de mesquin; elle s'intéresse à nous.

— On reparle des jumeaux plus tard; Félix s'en vient me chercher. On a un brunch de famille; la tradition. Mais on reviendra là-dessus, lui assuré-je pour clore la conversation.

— Ça va être une journée de merde si je m'aventure à l'extérieur de ma chambre. Ma mère va vouloir repasser l'agenda des six prochains mois, planifier notre vie: ses congrès, les va-et-vient de mon père… Ouache. Je suis écœurée d'être victime du calendrier. Je ne suis plus capable, de la routine. Je veux faire mon plan à moi et ne pas y inclure mes vieux. Après tout, j'aurai dix-huit ans dans moins d'un an et je serai enfin en pleine possession de mon destin.

J'ai le goût de dire à Do que ce n'est pas en chignant qu'elle va changer de vie, mais je me retiens; je sais que son humeur morose ne durera pas, du moins si je ne commente pas…

— J'ai compris ça. À plus, lui dis-je en ouvrant la porte de sa chambre, laissant l'odeur de bacon s'infiltrer dans l'immense pièce.

— Texte-moi tantôt, je vais te donner les détails du plan de notre changement de vie! me lance-t-elle d'un ton rayonnant.

Je le savais ! Quand on ne la contredit pas, Do ne grogne pas longtemps. En sortant de sa chambre, j'aperçois Suzanne à l'autre extrémité du couloir.

— Ma chère Stéphanie, avez-vous eu du plaisir, hier soir ? Je ne vous ai presque pas vues de la soirée.

— Oui, merci encore pour l'invitation. J'adore vos soirées du jour de l'An !

— Mais de rien, ma belle ! Je sais que ma fille et toi, vous vous amusez comme de petites folles ensemble, se réjouit la mère de Do, vraisemblablement non informée de l'état d'ivresse dans lequel se trouvait sa fille la nuit dernière.

— Oui. Je suis chanceuse d'avoir Dorothée comme meilleure amie.

Les trois petits coups de klaxon qui proviennent de l'extérieur m'indiquent que Félix est arrivé.

— Bonne journée, Suzanne !

Je sors en coup de vent de la maison – je devrais dire du manoir – de la famille Cardinal. Je sautille jusqu'à l'auto.

— Bonne année ! chantonné-je.

— Bonne année à toi, petite sœur. Comment était ta soirée ?

— Cool. Comme d'habitude, j'ai dû convaincre Do de s'habiller et de se pomponner. Ensuite, on a mangé des amuse-gueules de qualité supérieure. Il y avait un groupe de musique avec des chanteuses couvertes de paillettes, alors on a dansé et, comme on le fait chaque année, on s'est réfugiées au garage pour faire le compte à rebours dans une des luxueuses autos de Michel, résumé-je gaiement.

— Michel ? dit Félix sur son nouveau ton interrogateur.

— Michel, le père de Dorothée. Voyons, as-tu trop fêté hier ? Ta mémoire te joue des tours.

— Pas du tout, j'ai fait mon premier stage en voiture de police, c'était génial. Si le nom « Michel » ne me dit rien, ça n'a rien à voir avec la fatigue ; c'est juste que vous parlez toujours de la mère de Do, pas de son père, me fait remarquer mon frère.

— Ah. C'est parce qu'il est souvent absent, en voyage d'affaires.

Mon frère me détaille. Encore.

— Toi, tu n'as pas trop fêté, hier.

— Non. Belle observation, monsieur le futur policier.

À peine quinze minutes plus tard, nous sommes à la maison. Tous mes oncles, mes tantes, mes cousins et mes cousines sont là, tant ceux du côté de mon père que du côté de ma mère. Le bacon, les croissants au beurre et le sirop d'érable embaument la maison. Je vais tout de suite à l'étage me changer : de simples leggings et un chandail ample qui me frôle les genoux me conviennent. Moins chic que la veille, plus près de mon style vestimentaire habituel. Je remonte mes cheveux encore un peu bouclés en queue de cheval ; ça donne l'impression que je me suis forcée pour me faire une mise en plis. J'applique une couche de baume aux cerises pour colorer légèrement mes lèvres et je cours à la cuisine. Mon estomac me supplie de le remplir.

— Steph, ton cellulaire n'arrête plus de faire des ding-ding, m'indique mon frère.

— Pourquoi hausses-tu donc le sourcil avec ton air mi-séducteur, mi-enquêteur ? questionné-je Félix, plus amusée par sa mimique qu'intriguée par mon téléphone.

— C'est peut-être des messages croustillants ?

— Croustillants ? m'esclaffé-je, sans savoir de quoi il parle.

— Oui, comme des bonbons qui proviendraient d'un jeune garçon qui t'aime bien ? plaisante-t-il en formant un cœur avec ses mains.

— Tu délires. C'est évident que de ne pas dormir, ce n'est pas bon pour toi, lui dis-je en gloussant et en prenant bien soin de récupérer mon cellulaire.

Incroyable. Déjà six messages de Dorothée. Je ris toute seule. Elle m'envoie des photos de magazines, de mannequins accoutrés selon les dernières tendances. Toutes des tenues qui frappent, qui attirent l'œil. Je tape illico : « Tu me niaises. C'est quoi, ces photos ? » Do maîtrise le clavier numérique à la perfection et texte à la vitesse formule 1. « Ce n'est pas des niaiseries, c'est mon nouveau look. Nouvelle année, nouveau style ! » S'ensuit mon commentaire pratico-pratique : « Tu demanderas à ta mère de prévoir une augmentation exponentielle de son budget de vêtements, dans sa planification annuelle. Ça va coûter cher, refaire ta garde-robe. » Je prends soin de mettre mon téléphone en mode vibration, le laisse sur le comptoir de la cuisine et me faufile au salon pour voir la grande famille.

J'ai trop mangé. Seize heures ; j'attrape mon cellulaire et je vais m'échouer sur le sofa. J'imite Félix, qui encombre l'autre divan, étendu, les yeux clos, une main sur l'estomac. Je n'en reviens pas, Do m'a envoyé vingt et une photos et, dans son dernier texto, elle me presse de lui téléphoner.

— Il était temps ! s'enflamme mon amie à la seconde où elle décroche. As-tu vu toutes les photos ? J'ai hâte que les magasins rouvrent leurs portes. Trop con, que ce soit fermé le 1er janvier. Je vais m'acheter de nouveaux jeans qui me feront un cul d'enfer. Bien moulé. J'ai lu que ce sont les talons hauts et les bottillons à semelles compensées qui donnent un air rebondi à nos fesses.

— *Nice.*

— *Nice ?* C'est tout ce que tu trouves à dire ? me questionne Do avant de continuer sa tirade sans attendre une quelconque réponse de ma part. À compter de la rentrée de janvier, tu pourras dire *adios* à mes cols roulés, à mes chandails de laine, à mes jeans sans élasticité. Je crois que je vais changer ma coupe de cheveux. Une frange, peut-être ? Es-tu bonne pour couper les cheveux ?

Je suis essoufflée rien qu'à l'écouter. Je ne comprends pas d'où vient son énergie ; elle n'a pas dormi beaucoup plus que moi et a fêté dix fois plus.

— OK. Trop d'informations en même temps. T'es trop motivée pour moi. Je suis en mode digestion. Je vais faire comme Félix et dormir un peu.

— J'espère que tu sais que t'es plate. De toute manière, si tu ne changes pas, ce n'est pas grave. Juste en étant à mes côtés, tu deviendras populaire. Tu verras: le fait d'être ma meilleure amie va remonter ta cote, conclut-elle.

— OK.

Sérieusement, je n'ai rien à répondre. Et d'un, c'est une conversation unidirectionnelle, et de deux, je ne cherche pas à remonter ma cote. Je mentionne quand même un élément qui, selon moi, justifie ma réticence à modifier moi aussi ma garde-robe.

— Do, tu oublies qu'on n'a pas le même budget de magasinage et que je ne rentre pas dans tes vêtements; mon un mètre cinquante-sept n'accote en rien ton un mètre soixante-quinze et, surtout, moi, j'ai de gros seins, même si ça ne paraît pas parce que je porte des soutiens-gorge sport qui les écrasent!

Nous pouffons de rire. J'en profite pour mettre fin à la conversation. J'aime bien raccrocher sur un ton joyeux et je sais que Do aussi, parce que, quand on raccroche en n'étant pas d'accord, elle me rappelle pour être certaine que c'est OK entre nous deux. Ou elle me texte qu'elle veut la paix dans le monde et pas de froid avec sa meilleure amie. Quoiqu'un peu dramatique – parce que, la plupart du temps, je ne considère pas nos divergences d'opinion comme des frictions –, Do a presque toujours de bonnes intentions. Et, dans le fond, c'est de l'insécurité de sa part, et ça ne me coûte rien de la rassurer en lui promettant que je serai toujours sa meilleure amie.

CHAPITRE 3
JE FAIS CE QUE JE VEUX

Dorothée

— Qu'est-ce que je mets ce matin ?

Je parle toute seule, face au miroir. J'ai du choix. Je ne veux pas me tromper, car s'entame ce matin le début de mon plan. C'est le retour du congé des fêtes. Et je n'aurai pas l'occasion de faire une deuxième première impression. Je sais que les gens de l'école me connaissent, mais je me suis effacée depuis plus d'un an. Aujourd'hui, je vais être celle que tout le monde regarde ; il s'agit d'une étape indispensable à franchir pour devenir la fille cool de l'école. Je suis impatiente de voir la réaction des autres élèves à mon nouveau style, surtout celle des jumeaux Perron.

MONTAGNES RUSSES

L'impatience semble mon mot d'ordre depuis le début de l'année. Ç'a été évident dès le 1er janvier. Mes parents m'ont trouvée peu coopérative durant notre session de planification des six prochains mois. Moi, je dirais plutôt « non constructive », car j'ai bel et bien participé, en répondant par l'affirmative ou la négative à toutes leurs questions, tout en répétant que je n'en avais rien à foutre, de leur calendrier familial. Oui. Non. Oui. Non. Non. Non. Oui. J'ai failli péter les plombs quand ma mère m'a parlé de l'école :

— Tu vas faire ta demande d'admission au cégep pour le 1er mars ? commença-t-elle avec la perspicacité d'une mère qui veut tout contrôler.

Je me suis fait un plaisir de lui renvoyer la balle.

— Maman, ce n'est pas une question, c'est une affirmation. Tu devrais plutôt dire : est-ce que tu vas faire une demande d'admission au cégep et l'envoyer avant la date limite, qui est le 1er mars ? lui répondis-je en mettant de l'avant mon nouveau trait de personnalité préféré : l'arrogance.

— Je n'aime pas ton intonation, ma petite fille, mais, au moins, tu connais ton français. Je me reprends, précisa-t-elle calmement. Peux-tu me confirmer que tu feras ta demande d'admission pour le 1er mars, ou devrons-nous faire un suivi ? Nous aimerions aussi savoir à quel programme tu vas postuler, et à quel cégep. Tu sais que ton éducation est importante pour nous, termina-t-elle en parlant au nom de mon père et au sien.

J'aurais voulu crier à ma mère que ma demande d'admission au cégep était le dernier de mes soucis en ce début du mois de janvier, que ma seule préoccupation était de devenir une fille cool et respectée de tous à l'école pour pouvoir aller au bal avec Joe. Sachant très bien que je venais d'atteindre le seuil de tolérance de mes parents en ce qui a trait à mon attitude, j'ai décidé d'acheter la paix (et ainsi de rassurer ma mère sur le fait que j'opterai pour un cheminement scolaire normal).

— On est le 1er janvier, maman, je n'ai pas envie de penser à l'école et je n'ai pas encore fait de choix. Je vais prendre le temps de regarder les programmes offerts dans les différents établissements. Je vous tiens informés, OK? dis-je, zéro sincère, mais sur un ton convaincant.

Ma réponse a eu l'air de la satisfaire, puisqu'elle est passée au sujet suivant: l'argent de poche. Après avoir quêté de l'argent supplémentaire pour magasiner avant la rentrée des classes, j'ai encore eu droit à une réplique brise-rêve:

— Dorothée, tu reçois au moins cinq fois plus de sous que les autres enfants, répliqua ma mère, en parlant au nom de mon père encore une fois.

— Enfants? Maman, j'ai dix-sept ans, m'insurgeai-je, insultée d'être encore une fois traitée comme une petite fille.

— Excuse-moi. Pour une adulte en devenir, ton argent de poche, c'est assez, car souviens-toi que nous avons magasiné beaucoup au mois de septembre. Tu peux bien te permettre quelques folies ici et là avec la somme que tu reçois pour tes dépenses personnelles.

— OK, baragouinai-je à celle qui impose toujours son matriarcat.

— Ta mère a raison, commença mon père, qui s'était enfin décidé à prendre part à la conversation. Tu es chanceuse que tes parents te donnent de l'argent chaque semaine; la plupart des jeunes de ton âge travaillent. Et puis, pour ce qui est du désagrément de t'asseoir avec nous pour la planification annuelle que ta mère aime bien faire et que je trouve pratique, c'est ta dernière année. Je te le disais, hier: l'an prochain, tu auras dix-huit ans, et donc plus aucune obligation légale envers tes parents.

Comme ça sonne doux à mon oreille… Reste que je mourais d'envie que ce foutu conseil de famille prenne fin. Je ne vois en rien comment essayer de planifier la vie familiale peut nous amener à mieux la vivre.

L'insatiable impatience a continué à hanter ma vie, car j'ai dû faire les cent pas le lendemain du jour de l'An, en attendant l'ouverture des centres commerciaux. J'ai tout de même rentabilisé ces moments d'attente en faisant la liste des achats nécessaires pour avoir un style d'enfer. C'est une chance que ma mère soit abonnée à autant de magazines de mode et que mon papa – attentif à tout ce qui fait plaisir à sa douce – lui en rapporte de ses voyages. J'ai épluché plus de deux mille pages de publicités, de prédictions et de photos de défilés de mode, sans compter tous les articles sur « comment être tendance cet hiver ».

Le 3 janvier, je suis partie en mission. Le 4 aussi. J'ai dédié le 5 janvier à la recherche d'accessoires. Les jours suivants, j'ai testé des tenues, fait des agencements. Jupe et camisole assorties à un blazer, style femme d'affaires. Jeans griffés et t-shirt moulant qui laisse entrevoir le nombril. Coton ouaté à capuchon avec short en jeans et collant en dessous, accompagnés de souliers à semelles compensées hautes de plus de douze centimètres. Ça me donne un air *trash* et riche, parce que j'ai seulement acheté des vêtements de qualité, donc chers (même en solde). J'ai utilisé mon argent de poche de la semaine et j'ai mis le reste sur la carte de crédit familiale. Avoir des parents souvent absents et précautionneux est à mon avantage. Ma mère m'a fait faire une carte de crédit l'an dernier, à utiliser en cas d'urgence. Je n'ai jamais compris ce que pouvait être un cas d'urgence pour une ado qui va à l'école à pied et qui ne sort pas de la ville. J'ai donc décidé que mes pieds étaient la première urgence de l'année. Les souliers, c'est très important. C'est ce que la vendeuse de chez Browns m'a expliqué. Et j'ai appris que des bottes d'hiver, ça peut être porté avec classe. Je ne parle pas ici de certaines bottes qui ressemblent à des pantoufles et que la majorité des filles portent avec fierté, mais bien de bottillons ou de longues bottes en cuir à talons hauts. L'air de rien, ces bijoux pour les pieds s'avèrent imperméables et, si nettoyés régulièrement et entretenus avec la bonne cire, représentent le summum de la chaussure hivernale : chaude et sexy. J'ai si hâte d'arriver à l'école avec mes bottes de luxe !

— Dorothée, mais qu'est-ce que tu fais ? Si tu veux que je te conduise à l'école, tu dois descendre dans maximum cinq minutes, me crie ma mère, qui, contrairement à moi, ne trouve rien d'exceptionnel à aujourd'hui.

OK. L'impatience me court après. Je n'en peux plus d'attendre de faire mon entrée de vedette à la polyvalente, et ce n'est pas vrai que ma mère va venir me gâcher ce beau moment en me disant de me dépêcher.

— Ça va, maman ! Tu m'énerves ! Je vais marcher ! hurlé-je de l'étage.

Parfois, elle m'enrage juste à me parler.

— Habille-toi chaudement, il fait un froid de canard ! me conseille-t-elle avant de se sauver. À ce soir !

Justement, je vais m'habiller de manière à donner des bouffées de chaleur aux autres élèves.

J'attends que l'auto de ma mère disparaisse au bout de la rue avant de sortir de ma chambre. Je n'ai pas envie qu'elle commente mon pantalon noir moulant muni de fermetures éclair or, ni de subir son regard désapprobateur quand elle s'apercevra que la dentelle de mon soutien-gorge *push-up* dépasse de ma veste couleur camion de pompier. J'enfile mon nouveau manteau avec col en poil de renard et mes bottes à talons aiguilles en cuir rouge, et je file la tête bien haute en direction de l'école. C'est vrai qu'il fait froid, je ne croise pas d'autres élèves sur mon chemin. Huit minutes de marche me permettent de constater que je devrai porter mes bottes plusieurs fois avant qu'elles soient confortables.

Ça y est, je suis devant la polyvalente… Ma confiance vacille, mon cœur bat la chamade, mon intérieur bouillonne. Ça doit être l'excitation de commencer une nouvelle vie. Je regarde droit devant moi et me dirige vers les cases. Comme d'habitude, j'y trouve mon amie, qui essaie de se coiffer devant son minuscule miroir.

— Salut, Steph ! lui dis-je d'un ton super jovial en enlevant mon manteau.

— Do ? s'étonne mon amie en me détaillant de la tête aux pieds.

À ma grande satisfaction, elle semble surprise de me voir habillée ainsi.

— Tu ne reconnais plus ta meilleure amie ? noté-je, amusée.

— Oui, c'est juste que je ne m'attendais pas à te voir en talons hauts en plein mois de janvier. C'est radical, comme changement de style. Tout le monde te zyeute.

Sans hésiter, elle m'observe encore une fois et ajoute :

— T'es belle.

— Bonne réponse ! C'est exactement ce que je voulais entendre, la félicité-je.

— On a un cours de mathématiques, ce matin, et, au cas où tu l'aurais oublié, je ne peux pas être en retard ; il faut que je remonte mes notes, me précise Steph en me tirant par le bras.

— Marche pas trop vite, j'ai des talons, je te ferai remarquer !

— Tes bottes sont en cuir rouge écarlate, je ne peux pas les manquer.

Nous voilà en train de rire tout en nous dépêchant. On tombe face à face avec les jumeaux en entrant dans la classe. Je lance un regard réprobateur mais coquin à Joe au moment où je le surprends en train de me reluquer de la tête aux pieds. Je me détourne, satisfaite, et je prends place à côté de Steph. Ça, c'est une chose qui ne change pas. Steph choisit toujours un bureau au beau milieu de la classe ; elle aime tout voir. Moi, je la suis. C'est d'ailleurs une des seules situations où j'aime laisser Steph décider.

Comme d'habitude, Jeff va s'asseoir avec ses amis de l'équipe de hockey, les gars les plus populaires de l'école. Je fixe Joe. À ma grande surprise, il hésite et, sans dire un mot, il s'assoit devant moi. Ça n'en prend pas plus pour que la tête me tourne. Je texte Steph illico : « Je te l'avais dit. Nos vies vont changer. Joe est déjà accro à moi. ☺ » Steph se contente de me regarder et de rigoler.

Difficile de me concentrer. J'analyse la coupe de cheveux de Joe ; je parie qu'il n'a pas coupé un poil depuis la troisième secondaire. Il a toujours les cheveux attachés nonchalamment, comme si sa queue de cheval avait été faite par un enfant de trois ans. On dirait un tas de foin. Sauf qu'il n'y a rien de rêche là-dedans. Sa tignasse est cent pour cent douce, j'en suis certaine. J'aimerais y toucher. Sa peau est lisse, j'en suis convaincue. Depuis le premier jour où je l'ai vu il y a cinq ans, son teint doré et ses cheveux châtain clair m'attirent. Je ne sais pas comment il fait pour avoir l'air d'un gars qui va à la plage une fois par semaine. Il doit avoir un gène de différent, car même Jeff n'a pas cette aura, il a le teint plus pâle.

Mon Joe s'habille comme un surfeur: jeans, t-shirt et chandail à capuchon. Je trouve que son style vestimentaire va parfaitement avec mon nouveau look. En tout cas, les filles avec qui il est sorti dans les dernières années étaient toutes de la catégorie «cool et stylées». Dans l'encolure de son coton ouaté un peu usé, je peux entrevoir son cou. J'imagine le reste de son corps. Des muscles fermes, pas trop gonflés. Il est en excellente forme physique; aucun doute, il joue au hockey. La vibration de mon cell m'oblige à détourner mon regard. Un texto de Steph: «Est-ce que ta rétine brûle?» Ce à quoi je réponds: «Oui. Et les mains me fourmillent à l'idée de le toucher de la tête aux pieds.»

Stéphanie glousse; je sais qu'elle me trouve drôle quand j'exagère et exprime mes fantasmes sans retenue.

Impossible de me focaliser sur la matière enseignée. Je suis hypnotisée.

— Tu l'as regardé comme un morceau de viande durant tout le cours de maths, je ne t'ai jamais vue t'attaquer à un garçon de cette manière.

— Je ne peux pas faire autrement, il est assis devant moi, réponds-je en bombant la poitrine.

— Viens-tu chez moi faire tes devoirs ? me demande Stéphanie en continuant de m'observer. J'irai te reconduire après le souper.

— Non, je vais au centre commercial. Il y a une paire de jeans que je veux à tout prix. Je suis certaine que Joe va l'aimer.

— Comme si tu n'avais pas assez de vêtements ! s'exclame-t-elle avant de me faire une grimace et de monter dans son autobus.

— À demain, lancé-je en lui envoyant la main et en me tortillant le bassin.

Voilà deux semaines que l'école a recommencé et mon plan fonctionne. Steph me le confirme ; je suscite de l'intérêt. Elle m'a dit que les filles de l'équipe de ringuette parlent de moi à l'aréna. S'il existait un magazine *Elle Ado,* je suis certaine que je ferais la couverture du mois de février.

Disons que les commentaires des autres, c'est un plus, mais ce qui m'importe vraiment, c'est que Joe a maintenant l'habitude de s'asseoir en face de moi dans les cours où nous sommes ensemble. En classe de mathématiques, il se retourne pour me poser des questions bidon, du genre « à quel problème on est rendus ? ». Je suis certaine qu'il fait ça juste pour me parler ou que son état lunatique est un effet pervers de son attirance grandissante envers moi. Moi aussi, je suis dans la lune. Qu'il soit dans le même local que moi ou pas, je rêvasse toute la journée à mon prince charmant. Je m'imagine avec lui, au bal, ensuite au cégep. Je peux même visualiser notre entrée à l'université ensemble. J'ai déjà hâte qu'il me présente à sa famille en déclarant que je suis la femme de sa vie. J'ai un instinct qui ne trompe pas ; mon oncle appelle ça le sixième sens et dit que, dans notre famille, c'est génétique, que moi, je l'ai et, surtout, que je dois m'y fier. Mon petit doigt ne fait pas erreur, je serai bientôt la blonde de Joe et, plus tard, sa femme. En attendant, je dois me taper toutes les classes de cinquième secondaire et me concentrer sur la première étape de mon plan : me rapprocher de lui, ce qui, jusqu'ici, fonctionne à merveille.

Si, à l'école, tout va comme prévu, à la maison, c'est autre chose. Ma mère passe des commentaires sur mon style vestimentaire – pour ce qu'elle en a vu, puisqu'elle a un gros procès et n'est pas souvent à la maison. Elle n'approuve pas son côté sexy et considère que c'est un changement assez radical compte tenu de mon ancienne garde-robe plus conventionnelle, mais elle se contente de critiquer plutôt que de me dicter quoi porter. Moi, je trouve que sa technique n'est rien d'autre qu'une perte de salive puisque, au bout du compte, je fais ce que je veux. Partant tôt et rentrant tard le soir, elle me téléphone et me texte sans arrêt pour savoir ce que je fais et où je suis. Elle aime surveiller mes devoirs à distance. Je suis tannée qu'elle me prenne pour un bébé et je le lui fais savoir.

— Arrête de me texter, maman, je fais mes devoirs en revenant de l'école. Quand je ne suis pas ici, je suis chez Steph. Alors, fous-moi la paix, lui dis-je sèchement au moment où elle entre à la maison.

— Tu ne parleras pas comme ça à ta mère ! Pourquoi ne t'adresses-tu pas à moi comme à ton père ? Hein ? me questionne-t-elle avant de pousser un long soupir.

— Parce que lui n'est pas toujours sur mon dos, lui réponds-je, soudainement enragée.

— Il t'appelle aussi souvent que moi, continue-t-elle, faisant fi de mon ton agressif.

— Oui, mais lui, quand on FaceTime, il me raconte des histoires intéressantes et on jase d'autre chose que de mon parcours scolaire. J'ai aussi un parcours de vie, tu sauras.

— Eh bien, j'aimerais que tu m'en parles.

Ma mère m'énerve. Je n'ai aucune envie de lui expliquer mon plan de vie, encore moins de la convaincre de la pertinence de mes choix de vêtements, et surtout pas de lui montrer mes achats. Elle serait découragée, j'en suis certaine, et elle ne comprendrait pas. Mais l'expression abattue de ma mère me prend par les sentiments. Je baisse ma garde et lui réponds sagement :

— Maman, si tu étais plus souvent à la maison pour souper, on aurait le temps de jaser.

CHAPITRE 4
LA FÉBRILITÉ DE FÉVRIER

Stéphanie

— Penses-tu que les jumeaux vont aller à un party de Saint-Valentin ? me questionne Dorothée, pensive.

— Je viens de te demander si tu assistes ou non à mon premier match de ringuette de la saison et toi, tu me parles de la fête des petits cœurs qui aura lieu dans deux semaines, rappellé-je à mon amie, plus rêveuse que jamais depuis que son beau Joe colle au bureau en face d'elle en maths et en anglais, cours que j'ai en commun avec ma meilleure amie et les jumeaux Perron.

— Bien sûr que je vais à la partie. Et, en tant que partisane numéro un de Stéphanie Rochon, je vais crier dans les estrades frigorifiées ! finit par répondre mon amie, enthousiasmée comme dix.

— Cool ! C'est Félix qui nous y conduit. Mes parents ne peuvent pas être là, précisé-je avant d'aborder un autre sujet, qui va certainement quintupler l'excitation de Dorothée. Et tu sais quoi ?

— Non, mais ne fais pas ton agace et dis-le… Allez !

Je regarde mon amie sans rien dire et elle s'impatiente. Sa bonne humeur débordante et sa curiosité la font sautiller sur place comme une gamine. Contrairement à elle, je ne relate pas tout ce qui m'arrive dans une journée. Je parle moins, donc j'écoute plus. Mais, le moment venu, j'aime surprendre Dorothée en lui racontant une anecdote. Celle-ci, je la retiens depuis deux semaines.

— Eh bien… tu sauras que l'horaire des entraînements de hockey et de ringuette en cette saison hivernale est un plus pour la concrétisation de notre rêve d'aller au bal avec les jumeaux.

— Comment ça ?! me demande Do en approchant son visage jubilatoire à quelques centimètres du mien.

Je prends mon temps, je la fais languir.

— Parce que l'équipe dans laquelle jouent Jeff et Joe s'entraîne juste avant moi. Alors je les croise presque deux fois par semaine… En fait, je leur ai parlé un peu ; surtout à Jeff, je dirais. Joe est comme plus timide. Enfin, il me semble… Bref, Jeff est super cool et il est resté dans les estrades à mon dernier entraînement ! Imagine. Je pense qu'il aime mon coup de patin !

Il n'en faut pas plus pour que je me fasse interrompre.

— Comment as-tu pu me cacher cela ? C'est trop malade ! Génial ! Tu *rockes* !

Do me saute dessus en me suppliant de partir avec elle illico presto pour l'aréna, pour qu'on ait la chance de voir les hommes de nos rêves. À force d'entendre mon amie parler avec conviction de nos futurs amoureux, j'ai commencé à y croire. Joe lui a même dit la semaine dernière qu'il la considérait comme la fille la plus intelligente de l'école ! Si elle le couve de son regard mielleux et lance des « mercis » langoureux lorsqu'il la complimente, Do fait généralement comme si de rien n'était quand Joe lui parle. Elle croit en la théorie voulant que, si tu as l'air de ne pas t'intéresser à un gars, il va te courir après.

Moi, j'ai opté pour la conversation simple avec Jeff. On ne jase pas vraiment à l'école, mais on se lance quelques regards. À l'aréna, il me souhaite toujours un bon entraînement et il m'a même dit une fois qu'il trouvait ça cool, une fille qui tripe sur le sport. Je dois avouer qu'il me fait de l'effet. J'ai toujours imaginé ma première fois avec un joueur de hockey. Mon ex, c'était un tripeux d'informatique qui n'avait pas trop d'initiative, alors on a tout fait, sexuellement parlant, sauf l'élément clé d'une relation sexuelle complète !

En sortant de la maison, mon frère – qui, du haut de ses vingt ans, a pris un coup de vieux – remarque Do et écarquille les yeux. Il me regarde, l'air étonné, et se tourne vers mon amie :

— Est-ce que tu vas t'habiller un peu plus chaudement pour le match ? Tu sais pourtant que l'aréna du quartier est très mal chauffé.

— Félix, Félix, Félix… Depuis quand te prends-tu pour un parent ? rétorque Dorothée en le toisant comme s'il était plus jeune qu'elle.

Mon frère rigole devant le surplus d'assurance de Do. Il trouve lui aussi qu'elle est dans son pic de crise d'adolescence ces derniers temps, avec son changement de style vestimentaire plutôt radical et sa tendance à aguicher. Ce n'est pas négatif en soi, mais on dirait que son look sexy a un impact direct sur sa façon d'être. Je trouve qu'elle essaie de charmer tous les hommes de la terre, bien qu'elle dise qu'elle fait ça seulement pour Joe. Bref, Félix est au courant de mes réflexions, car mon grand frère, c'est mon confident. Il ne raconte jamais rien à mes parents, alors je sais que mes secrets sont bien gardés avec lui. Et il est conscient que, quand je lui parle de mes difficultés à accepter le comportement parfois choquant de ma meilleure amie, ce n'est pas par méchanceté. Tout comme moi, il croit que d'être différents, ça aide à se compléter, entre amis. Et puis, il l'a toujours dit : la complicité qui nous unit, Do et moi, est indéniable. Alors, il lui répond du tac au tac :

— Ma belle Dorothée que j'adore comme ma propre petite sœur, si tu trouves que je parle comme un parent, c'est bon signe, ça veut dire que j'ai probablement raison de dire que tu n'es pas habillée assez chaudement.

Do s'apprête à répondre, mais Félix continue avec son sourire charmeur, ses yeux de don Juan et sa prestance de chevalier :

— Puisque je ne voudrais surtout pas que ton style de mannequin soit égratigné, je vais me charger de te réchauffer si le besoin s'en fait sentir. J'ai une petite couverture à carreaux – qui pourrait être une Burberry, tu sais –, et il y a mes bras, réplique-t-il en exagérant le mode séduction au maximum, comme au théâtre.

Frérot a vraiment le tour avec mon amie. Il la désarçonne à tout coup. Incapable de se retenir, Do s'esclaffe, ce qui nous fait tous sourire. Une fois en route pour ma première partie de la saison, je les regarde et me considère comme chanceuse de les avoir dans ma vie.

Sur la glace, j'aime jouer à l'attaque. Sans me vanter, je peux dire que je suis une des plus rapides de l'équipe et que j'ai développé très jeune mon agilité à manier le bâton; enfants, Félix et moi jouions énormément au hockey dans la rue.

Le premier match est décisif pour l'entraîneur. Il ne le dit pas, mais je sais que ça influence les positions que nous occuperons toute la saison. À la première occasion, j'attrape la rondelle et je fonce vers le but. Je contourne facilement la gardienne qui, de toute évidence, n'est pas alerte, et je compte le premier but du match! J'ai le réflexe de regarder mon frère et ma meilleure amie dans les estrades. Surprise, je me rends compte que les jumeaux Perron sont debout à côté de mon frère et applaudissent. Do crie bravo en se dandinant les épaules. Je suis impressionnée de voir une fille faire du charme en applaudissant. Elle est devenue tellement séduisante durant le dernier mois. À croire que sa métamorphose vestimentaire lui donne la confiance nécessaire pour se mêler aux autres. Intimidée par le quatuor qui me regarde et, surtout, fière de mon coup, je retourne au jeu et tâche de me concentrer.

Je suis un peu déçue de constater que Jeff et Joe ne sont plus dans les gradins à ma sortie du vestiaire, mais cela n'entache aucunement ma fierté d'avoir bien joué la première partie de la saison.

— Vous avez gagné haut la main ! me félicite Dorothée.

— Tu as super bien joué, petite sœur, ajoute Félix.

— Merci. Mais Do, toi aussi, tu as bien joué. Tu as parlé aux jumeaux ! lui dis-je, curieuse de connaître le sujet de leur conversation.

— C'est grâce à Félix. Jeff lui posait plein de questions : pourquoi il ne joue plus au hockey, est-ce que c'est à cause de ses études, est-ce que c'est vrai que c'est difficile d'être accepté dans le programme de techniques policières, est-ce que, est-ce que, est-ce que… Il n'arrêtait pas !

— Et Joe ? questionné-je à la fois mon amie et mon frère, intriguée.

— Je crois bien qu'il me regardait, me répond Dorothée, manifestement satisfaite.

— OK, les filles, on y va, couine Félix.

La route du retour à la maison est tranquille, chacun de nous étant perdu dans ses pensées. Mais, en arrivant, je n'ai pas le choix de m'attarder à mes leçons. J'aime mieux la ringuette que l'école, toutefois les deux sont importantes. Que Dorothée soit présente m'aide à faire mes devoirs ; elle répond toujours à mes questions, habituellement, mais, aujourd'hui, j'ai de la misère à me concentrer parce que mon amie n'arrête pas de jubiler. Joe par-ci, Joe par-là. Je la ramène à l'ordre une fois pour toutes :

— Holà, miss Cardinal-Perron, j'ai vraiment besoin d'un coup de main pour mes devoirs de mathématiques. Contrairement à toi, je ne suis pas née avec la faculté de résoudre des problèmes d'algèbre.

— Ne stresse pas. Rêvasse avec moi un peu, je veux qu'on parle du party de Saint-Valentin, j'ai *full* hâte de savoir s'il y en aura un et comment on va faire pour être invitées, commence-t-elle avant d'enchaîner avec le sujet qui m'importe. Je te promets de venir faire mes devoirs avec toi cette semaine. Tu vas voir, ce n'est pas compliqué. Et puis, on s'en fout que tu n'aies pas de bonnes notes dans toutes les matières : l'important, c'est le diplôme.

— Tu m'enrages quand tu dis ça. C'est facile pour toi. Avec les notes que tu as eues l'an dernier et à la première étape, tu peux bien passer ton temps à magasiner au lieu d'étudier, tu seras acceptée au cégep de ton choix. Pour moi, c'est crucial de performer à cette étape-ci, parce que mes notes étaient plutôt médiocres l'an dernier.

— Tu capotes, là. Tu ne veux quand même pas devenir mathématicienne ! Et puis, je te rappelle que ce qui est primordial, c'est qu'on sorte avec les jumeaux et qu'on fasse l'amour avant d'avoir notre diplôme, dit-elle, insensible à mes préoccupations.

Je fais fi de ses commentaires sur notre avenir amoureux et sexuel – même si je veux tout autant qu'elle que notre souhait se réalise –, car mon entrée au cégep me tracasse, surtout depuis que j'ai décidé ce que je voulais faire comme profession.

— Non, je ne veux pas faire des mathématiques dans la vie, je vais devenir professeure d'éducation physique, affirmé-je. Il me faut de bonnes notes dans toutes les matières, même si je ne ferai plus jamais d'algèbre.

— Oh. Prof. Je t'imagine bien. Tu as un tempérament assez cool et tu aimes t'impliquer dans toutes les mascarades de l'école : le club social et tout le tralala, ironise Dorothée.

— Toi ? la questionné-je, lui donnant tout à coup le rôle principal dans la conversation.

— Moi quoi ? s'étonne-t-elle, l'air de ne pas piger de quoi je parle.

— As-tu décidé où tu feras ta demande d'admission ?

— Coudonc, c'est quoi, votre problème, ces temps-ci? s'emporte-t-elle tout à coup. Mes parents, ensuite ton frère tantôt pendant le match, et maintenant toi! J'ai jusqu'au 1er mars pour me décider et, pour être bien honnête, c'est zéro dans mes priorités, la foutue demande d'admission au cégep!

Il n'en fallait pas plus pour que la belle blonde aux yeux bleus se transforme en tornade.

— Du calme, dis-je doucement, consciente de l'avoir offusquée, même si ce n'était pas mon intention.

Je la regarde réfléchir. Elle semble perdue. Autant elle est confiante en ce qui concerne son avenir social, autant elle paraît désorientée et fermée quant à son avenir professionnel. Dans ces moments-là, j'ai envie de l'aider, mais j'ai peur de ne pas dire la bonne chose et de la blesser.

— Avec tout le magasinage que tu as fait, ta passion pour les magazines de mode et, surtout, parce que tu as le don d'agencer tes vêtements, tu pourrais aller en design de mode, osé-je.

Pendant un instant, mon idée a l'air de faire son chemin.

— Non. Les designers, ils travaillent dans l'ombre. Moi, je veux être connue. Sous les projecteurs, tranche-t-elle.

Son ton catégorique me ferme le clapet. On se penche sur nos devoirs en silence. Do répond à mes questions, un peu comme un robot.

Même si mon amie me fait la moue – ou boude la vie en général –, elle reste à coucher chez moi, encore ce soir. Sa mère a téléphoné un peu plus tôt parce que Do ne répondait pas à ses textos. Je l'ai rassurée en lui disant que nous faisions nos devoirs et que j'avais besoin de l'intelligence de sa fille. Do lui a parlé à peine deux minutes. Je la trouve tellement bête avec sa mère. Je n'ai pas osé le lui dire, parce que je n'ai pas envie de la contrarier davantage.

Par chance, la nuit a redonné sa bonne humeur à Dorothée, et notre journée s'est plutôt bien déroulée. Même son ivresse nous a suivies jusque chez moi. La joie de vivre de mon amie fait mon affaire en ce lundi de février, car, pour une fois, elle se concentre sur ses devoirs et m'aide concrètement.

— Je vais rentrer chez moi, ce soir, m'informe Do. Est-ce que tu peux emprunter l'auto de ton frère pour venir me reconduire ? Ma mère est en train de devenir complètement dingue, elle dit qu'elle ne se souvient plus d'à quoi je ressemble. Elle veut que je rentre à la maison, mais elle va arriver tard et je serai déjà couchée. Des fois, ça m'apparaît impossible de suivre son raisonnement.

— Oui. On y va tout de suite, alors, lui annoncé-je, considérant qu'il est déjà tard pour un soir de semaine.

— N'oublie pas de ralentir en tournant le coin, me lance-t-elle.

— On ralentit toujours. Comment pourrais-je oublier que les jumeaux habitent au coin de ta rue ?

C'est un classique. Au début du secondaire, Dorothée n'avait aucune idée que la famille Perron habitait la maison au bout de sa rue. Après tout, elle venait d'emménager dans ce quartier de riches. Quand on l'a découvert, elle n'en revenait pas. D'ailleurs, c'est une des raisons qui l'ont motivée à marcher pour se rendre à l'école, ça lui permet de passer le plus souvent, le plus lentement possible devant leur grosse maison. C'est arrivé à plusieurs reprises qu'elle accompagne les gars, mais elle me dit qu'ils parlent d'école et de sport et que c'est zéro un moment de rapprochement. Ça nous fait rire, parce qu'en troisième secondaire on se faisait des idées, et puis on s'est bien rendues à l'évidence que des amis qui marchent ensemble entre la maison et l'école, ça ne forme pas nécessairement une gang une fois arrivés à destination. On a fini par déclarer que le seul lien entre nous et les jumeaux, c'est que Do habite dans la même rue.

— Regarde ! On dirait Joe, ou peut-être que c'est Jeff ? Quand ils ont une tuque et un capuchon, c'est difficile de les différencier, s'exclame mon amie, curieuse.

— Mais oh ? C'est quoi, il fume ?

— On dirait. Ça m'étonne. Joe ou Jeff? me questionne Dorothée lorsqu'on dépasse leur maison.

— Joe. Je suis certaine à cent pour cent que Jeff ne fumerait jamais.

— Ben là, on ne peut quand même pas repasser devant sa piaule juste pour voir. Tu regarderas, en retournant chez toi.

— Oui, Sherlock Holmes, promets-je.

En repartant de chez Dorothée, j'ai le sentiment d'être soulagée. Je ne sais pas exactement pourquoi. Je pense que c'est parce que je suis du type indépendant, même si je suis une fille d'équipe. Être avec Do jour et nuit, c'est plaisant, divertissant; c'est tout sauf reposant. De retour à la maison, j'étudie encore un peu et je me couche, épuisée.

Do arrive en retard en classe, les cheveux ébouriffés. Elle me fait rire quand elle est dans cet état-là. Elle veut me jaser, mais le cours est commencé, donc elle tente de me texter tout en essayant de maîtriser sa crinière qui, de toute évidence, a souffert du vent froid qui souffle dehors. Je rigole et lui envoie un texto: «C'est ton beau Joe d'amour qui fume.» Après l'avoir lu, elle avance sa tête au-dessus de son bureau, met son nez le plus près possible du cou de Joe et renifle sa nuque. J'étouffe un rire et Joe se retourne, l'air interrogateur. Do lui susurre à l'oreille: «Tu sens bon.» Je lui texte seulement: «OMG. Tu es devenue trop courageuse pour moi, c'est sûr qu'il sait que tu le veux.»

L'histoire se répète lors du dernier cours de la journée, que Do et moi suivons aussi avec les jumeaux. Puisque c'est anglais, on doit passer les quinze dernières minutes de la période à discuter avec les autres élèves dans la langue de Shakespeare. C'est un exercice que Do et moi, on adore. On se donne des accents pas possibles.

— *Dorothée, are you really going to walk back home after school? It is soooo cold outside. Your beautiful hair will freeze again. You will end up looking like a broomball, just like this morning.*

— *My dear friend Stéphanie, you know that I don't have a choice; even a princess must sometimes walk to get from one place to another,* prononce-t-elle avec son accent *british*.

J'adopte à mon tour le ton d'une duchesse d'Angleterre et articule au maximum ma réponse.

— *Well, well, should I remind you that if you had not stop taking your driving lessons, you would have your licence and, since you are a rich girl, your parents would have bought you a car by now.*

Dorothée et moi rions de plus belle. Je crois que nous sommes les seules à avoir du plaisir durant cet exercice d'anglais, et la professeure, Colleen, nous considère comme ses meilleures élèves juste pour ça.

Une voix rauque et sexy met fin à notre rigolade.

— *End of discussion, ladies. I will drive the princess home,* lance Joe en regardant mon amie avec intensité.

Do se contente de cligner des yeux exagérément pour démontrer sa gratitude. Et moi, j'ajoute : « *Thank you, young gentleman. If you take good care of my friend here, she may be really nice to you.* » On est tous en train de rire quand la cloche sonne. Do part avec Joe et Jeff, et ce dernier me salue en me souhaitant une très belle soirée. La délicatesse de ses mots me donne des chatouilles au cœur. Je commence à l'apprécier pour son comportement envers moi… et bien sûr pour son physique hallucinant !

Je ne suis pas encore sortie de l'autobus scolaire que Do me téléphone pour me crier dans les oreilles que Jeff, juste avant de la laisser devant sa porte, lui a dit qu'ils organisaient un petit party samedi prochain et que ce serait cool qu'on y aille, toutes les deux. Je trouve ça moins drôle quand elle m'annonce que c'est un party de Saint-Valentin et que les filles doivent porter du rouge et les gars, du rose. Je trouve ça quétaine, mais ça fait longtemps que je veux avoir des mèches écarlates. Et ce sera le moment idéal pour me rapprocher de Jeff. Ce sera l'occasion ou jamais !

CHAPITRE 5
QUE LA FÊTE COMMENCE !

Dorothée

Maman est sortie dîner avec mon oncle Arthur. Elle va régulièrement le visiter, un peu comme si c'était son frère. Je crois que ma mère s'ennuie de sa sœur, même si elle n'en parle presque jamais, car ma tante s'est suicidée il y a dix ans. Elle n'a pas laissé de lettre, mais j'ai entendu mes parents parler de sa situation à quelques reprises. La sœur de maman n'avait pas de relation amoureuse stable et ses histoires compliquées « tiraient du jus à tout le monde », paraît-il. Elle avait de la misère à conserver un emploi et avait de grosses dettes au moment où elle a mis fin à ses jours. Bref, même si je sais que ma mère aurait aimé que je l'accompagne, et même si je trouve le frère de mon père très divertissant avec ses mille et une histoires abracadabrantes, je suis restée chez moi ce midi, car on est le 14 février, et ce sera le dernier 14 février de mon secondaire. Un samedi historique. La soirée s'annonce épique.

— Papa ?! m'exclamé-je soudain, surprise et heureuse de le voir franchir la porte.

Son entrée me sort de mes rêveries et il ne me faut que quelques secondes pour me lever du gros sofa, lui sauter dans les bras et lui faire un gros câlin.

— Merci pour le bel accueil, Dorothée. On dirait que ça fait des lunes que je ne t'ai pas vue en personne. Tu étais chez Stéphanie la dernière fois que j'ai transité par la maison, me rappelle-t-il, crispant son visage pour imiter un clown triste.

— C'est pour ça que la technologie, c'est merveilleux, papa ! Pas besoin d'être dans la même pièce pour se jaser face à face. C'est cool que tu sois ici, je ne savais pas que tu revenais.

Je continue, tout excitée :

— Alors, dis-moi, tu déroges au calendrier de maman !

— J'ai devancé mon vol, je veux faire une surprise à ta mère pour la Saint-Valentin, je sais que ça va lui faire plaisir.

Peux-tu la texter et lui demander de rentrer plus tôt ? Être ma complice ? propose-t-il.

— OK. Mais qu'est-ce que je donne comme excuse ?

— Invente un truc. Selon ta mère, tu sembles bonne là-dedans depuis quelque temps…, dit-il sur un ton non loin de la réprimande.

Mon père me fait rire, parce que c'est vrai que je raconte un peu n'importe quoi à ma mère ces derniers temps, mais elle me texte sans arrêt pour savoir ce que je fais et avec qui je suis. Je réponds au hasard : « Bibliothèque, chez Steph, à l'aréna, je participe à une activité parascolaire, en tête à tête avec Félix qui me parle des programmes du cégep (celle-là, elle l'adore !) », etc.

J'ai envie de bien faire, aujourd'hui. Je considère mon papa comme un cupidon exemplaire. Et, bien que maman me tape sur les nerfs, ce n'est pas une raison pour la priver d'une soirée romantique. Je lui envoie le message suivant : « Maman, j'ai un service à te demander. Je vais dans un party de Saint-Valentin ce soir avec Steph et on aimerait que tu nous aides pour nos cheveux. » Je lis le message à mon père et il se met à rigoler, parce qu'il sait que maman adore me coiffer, même si j'en suis aussi capable qu'elle. Curieux, il me demande :

— Pour qui veux-tu te pomponner ? Et Stéphanie, est-ce qu'elle a un valentin ?

— Papa !!!! hurlé-je.

Je suis toujours gênée quand mes parents me demandent des détails sur ma vie privée, mais il est trop mignon et je sais qu'il s'intéresse vraiment à moi. Ce n'est pas pour me contrôler qu'il veut tout savoir.

— Tu sais, les jumeaux qui habitent au coin de la rue, commencé-je, eh bien, ils font une fête ce soir. Steph et moi, on aimerait ça, sortir chacune avec un jumeau. Je trouve Joe tellement craquant, lui confié-je comme une gamine.

— Alors, qu'est-ce que tu vas porter ?

Mon père ne cessera jamais de m'étonner.

— Je n'ai pas encore décidé, j'attends Steph, que je mens, sachant très bien quel vêtement je porterai pour avoir magasiné des heures avant de trouver la tenue parfaite.

Au même moment, Steph fait son entrée, salue mon père et, comme d'habitude, on se dirige vers ma chambre. Je montre à mon amie la robe noire que j'ai achetée et elle approuve mon look en me précisant qu'une petite veste rouge s'accorderait parfaitement avec elle.

— Il faut que tu mettes du rouge, me rappelle-t-elle. Et puis… on est en février, c'est un peu froid pour une petite robe comme celle-là !

— Je sais qu'il faut du rouge, réponds-je, l'air de rien, lui cachant mon intention d'enfiler un super soutien-gorge couleur cerise. Mais toi, tu vas mettre quoi ? Quand même pas les jeans que tu portes trois jours sur sept ? Et ce t-shirt noir avec un petit cupidon brodé dessus, c'est zéro sexy. Tu devrais écouter ton amie styliste et oser un peu plus, lui recommandé-je.

Steph se lève et tourne sur elle-même en enlevant sa tuque pour laisser s'échapper la multitude de mèches écarlates qui ornent sa crinière. Je dois avouer que c'est très beau.

— Malade ! Tu oses, finalement. Je pense que, si on te les fait au fer plat, ça va être trop parfait. Moi, je vais me friser les cheveux, ça va être différent et attirer les regards, décidé-je en passant ma main dans les cheveux de mon amie.

Steph rigole. Je sais qu'elle trouve qu'il y a de plus en plus d'yeux braqués sur moi depuis notre retour en classe. À ma grande satisfaction, d'ailleurs.

J'entends ma mère entrer et crier du rez-de-chaussée : « Les filles ! Je suis arrivée. Je suis à vous dans une minute. » Avec raison, Steph s'interroge. Pendant que je lui explique le plan de mon père, on perçoit les gloussements de ma mère qui, de toute évidence, se réjouit de la surprise de son valentin.

Mes parents nous regardent avant que nous partions et nous complimentent tout en nous disant d'être prudentes (ils disent cela peu importe où nous allons, indépendamment des occasions). Me détaillant pour une troisième fois, ma mère ne peut s'empêcher de passer un commentaire :

— Tu es très séduisante, mais ta robe est un peu courte. Je ne savais pas que tu avais ça dans ta garde-robe.

Je ne peux m'empêcher de rétorquer :

— Je grandis, maman, et je m'habille comme je le veux. Tu sais quoi, ta fille, c'est rendu le canon de l'école !

Je remarque que Steph échange un regard complice avec ma mère, mais, puisque ni l'une ni l'autre ne s'avance à réagir à ma dernière affirmation, nous quittons la maison.

Nous marchons lentement vers la maison des Perron. C'est une des rares journées de l'hiver où il ne fait pas moins vingt degrés Celsius.

— Je ne comprends pas pourquoi tu parles comme ça à ta mère, risque Stéphanie. Elle a quand même raison, elle fait juste remarquer que tu as beaucoup changé de style. Tu sais, moi aussi, je trouve que…

J'interromps mon amie avant qu'elle gâche le moment.

— Qu'est-ce que tu veux dire ? Si tu es mal à l'aise parce que, tout à coup, j'ai plus d'amis que toi à l'école, eh bien, contrôle ta jalousie un peu, riposté-je.

— Excuse-moi de te le dire comme ça, mais je trouve que tu modifies ton comportement depuis que tu as changé de style. C'est dommage, on dirait que tu cherches juste à impressionner tout le monde, pas à te faire des amis, continue-t-elle en haussant le ton, juste pour m'enrager.

Je la regarde avec un air indifférent. Ses commentaires analytiques – du genre que fait Félix depuis qu'il suit ses cours de psychologie au cégep –, elle peut bien les garder pour elle.

Le reste du chemin se fait en silence. Mais je ne peux pas lui en vouloir trop longtemps. Pas question de commencer cette soirée tant attendue avec de la tension entre nous. Avant d'entrer, je regarde Steph et lui lance, avec une bonne humeur sincère :

— On va s'amuser ; c'est nous, les reines de la soirée ! Et puis, on ne peut pas se chicaner, tu es la meilleure amie du monde. Tu as raison, il y a juste les jumeaux qui comptent ; les autres, je m'en fous.

« Une vraie barmaid ! » Je ne sais pas qui a dit ça, mais le compliment m'est destiné. Je m'affaire à concocter des cocktails pour tout le monde, moi comprise. Steph jase avec ses amies du comité social. Elles organisent le bal, alors elles sont toujours à mémérer à propos du décor, de la musique, du repas… Pour ma part, ça pourrait être n'importe où. Mes priorités, c'est mon cavalier et, ensuite, mon look.

— Tu me sers un autre verre, s'il te plaît ? me demande Steph, tout sourire.

Visiblement, elle s'amuse.

— Oui, mais avec un *shooter* de téquila en bonus ! On célèbre, ce soir… tu sais quoi ! ajouté-je en lui faisant un clin d'œil.

Steph me regarde comme si elle ne savait pas de quoi je parle, mais je n'ai pas le temps de lui rappeler que l'objectif de la soirée, c'est de nous rapprocher des jumeaux, qu'on enfile deux *shooters* de suite avant de se mettre à crier au son de notre chanson favorite ! Je ne suis pas habituée à voir Steph boire du fort, je crois qu'elle n'a pas l'habitude d'en boire non plus. Elle s'en tient normalement à la bière. Il faut croire que la téquila lui donne de l'énergie, car elle m'entraîne au salon, qui s'est transformé en piste de danse. Je me laisse aller, c'est si bon de danser. Je m'y suis si souvent exercée toute seule dans ma chambre que, même si ce soir il y a une trentaine de personnes autour de moi, je me sens libre de faire tout ce que je veux. Je me sens séduisante en roulant mes hanches dans ma robe moulante. Je sens les yeux des garçons posés sur mes fesses. Je vois le regard des filles, jalouses de mon corps de mannequin, de mes cheveux de Boucle d'or qui virevoltent. J'ai envie d'en donner plus, de me montrer.

— Youhou, je suis contente que tu t'amuses ! me lance Stéphanie en me toisant elle aussi, comme s'il était rare que j'aie du plaisir.

Je n'aime pas l'expression de mon amie, ni son commentaire qui me rappelle que je ne suis pas allée dans une fête (autre que dans ma famille) depuis plus d'un an. Je n'apprécie pas non plus le sentiment de mépris qui m'envahit, comme si ça étonnait Steph que je puisse m'amuser. Je la défie du regard avant de monter sur la table basse du salon, pour être bien en vue.

S'ensuivent des cris d'encouragement. «Yahooooo!» d'un côté, sifflements de l'autre. J'enlève lascivement ma veste rouge. Les bras dans les airs, je me penche en avant, les jambes bien droites, les talons aiguilles bien ancrés dans la table et, comme une vraie danseuse, je fais craquer tous les garçons, je relève la tête, puis le torse, sans jamais plier un genou. Mon salut fait tomber la manche de ma robe et dévoile mon soutien-gorge en dentelle rouge; je bombe la poitrine et descends l'autre manche. Il n'y a aucun doute, en ce moment, je suis une déesse.

Entre deux cris d'encouragement, Steph met fin à mon spectacle et me pousse jusqu'à la salle de bain. Elle verrouille la porte et prend soin de replacer ma robe.

— Je crois que tu devrais arrêter de boire avant que je te ramasse toute nue, me sermonne-t-elle.

— Steph, ne fais pas ta sainte-nitouche, j'ai juste dansé un peu… osé! dis-je en m'esclaffant d'un rire gras.

— Ouais… je ne sais pas où tu as trouvé le courage… probablement dans la téquila!

— Toi aussi, tu es sur le party, ma belle Stéphanie d'amour. Alors, t'as pas de leçon à me donner. Compris?

Mon dernier commentaire lui ferme le clapet, une fois de plus. Je suis tannée de ramener mon amie à la réalité. Nous sommes en cinquième secondaire, à la conquête d'un cavalier, je suis populaire et je veux en profiter. Je vis ma vie.

On revient au salon, main dans la main, et on prend place dans le creux d'un sofa. Recroquevillées, on jacasse en observant les gens qui dansent.

— Salut, les filles ! On vous a apporté une bière, dit Jeff, très à l'aise, en s'assoyant près de Steph.

Mon cœur bat la chamade ; son frère est avec lui. Joe se contente de me regarder et de s'asseoir en face de moi, sur un pouf. Ce n'est pas comme à l'école, ici, tout peut arriver et il n'y a pas de bureau pour nous séparer. Je voudrais qu'il m'embrasse tout de suite, mais l'ambiance est à la fête, alors je savoure sa compagnie.

Pendant que nous buvons notre bière, Joe roule un joint. Steph ne remarque rien, étant en pleine conversation avec celui qu'elle surnomme depuis quelque temps « le dieu grec de la patinoire ». Je gage qu'ils discutent des tournois de hockey et de ringuette qui sont au calendrier cet hiver. Joe allume le joint et me le passe. Je n'hésite pas à prendre trois grosses bouffées, même si je n'ai pas fumé depuis deux ans. Steph et moi, on a eu un petit trip en troisième secondaire, on fumait des joints après l'école, mais on s'est vite tannées.

Je suis étonnée de voir Jeff fumer. Lui qui semblait si coincé côté party m'apparaît tout à coup comme un gars plutôt relax. Il tend le joint à Steph qui hésite, regarde son cellulaire et annonce :

— Non merci. Il est presque une heure du matin et mon *lift* s'en vient.

En regardant Jeff dans les yeux, elle se justifie en précisant qu'elle a un entraînement demain matin. Jeff la raccompagne et Joe profite de leur départ pour s'asseoir à côté de moi. Il passe son bras autour de moi.

— Tu as perdu ta veste, me dit-il, alors je couvre tes jolies épaules.

Gênée au souvenir de ma danse osée, je suis sur le point de rétorquer une niaiserie, mais il continue :

— Tu es mignonne quand tu te mordilles la lèvre. Ne sois pas timide, tu étais *full* belle quand tu dansais. Mais…

— Mais quoi ? Mais quoi ? supplié-je en lui faisant mes yeux de biche.

Je veux savoir tout ce qu'il pense. Je crois que je me mordille encore la lèvre, car il pose son doigt sur ma bouche. Je fonds de l'intérieur.

— Mais…

Il hésite, se rapproche de mon visage et me chuchote à l'oreille :

— Mais la prochaine fois que tu danseras comme ça, j'aimerais mieux que ce soit en privé, pour moi. Je suis du type un peu jaloux.

Wow. Je voudrais rapporter ses paroles à Steph tout de suite. C'est au-delà de mes attentes. C'est comme s'il venait de me faire une déclaration d'amour. Je suis aux anges. Je veux l'embrasser. Est-ce qu'il en a envie aussi ? Je commence à rire pour rien. Lui aussi. L'effet du pot se fait ressentir. Il me prend par la main et, au moment où on s'apprête à descendre au sous-sol, on croise Jeff et Steph qui se disent au revoir. Je crois qu'il lui a donné un bec sur la bouche… je ne sais pas, je ne sais plus, je n'ai d'yeux que pour celui dont je sens la paume dans la mienne.

— Mon père arrive. On va aller te reconduire, me signale Steph.

— Ça va, je n'ai pas besoin d'être raccompagnée, j'habite au coin de la rue.

— Tu es soûle, je n'aime pas ça quand tu marches toute seule avec tes talons aiguilles dans la neige ! Tu as eu de la misère à te tenir debout en venant, imagine dans ton état! assure miss sportive qui se prend pour ma mère.

Je soupire et je la regarde. En s'adressant aux jumeaux, elle déclare sérieusement:

— Est-ce qu'un de vous va aller la reconduire à pied? Vous allez prendre soin de mon amie?

Les gars acquiescent à mademoiselle inquiète.

Quand la porte se referme, je fixe Jeff et Joe, et je reprends les mots de ma meilleure amie:

— Moi aussi, je vais prendre soin de vous.

Les gars se regardent, incertains et curieux. Je tiens déjà la main de Joe, alors j'attrape celle de Jeff et je continue la route que son frère et moi avions entamée. Nous voilà tous les trois au sous-sol. Un couple s'enlace sur le sofa. Je demande aux gars où se trouvent leurs chambres. Jeff est le premier à répondre et nous entraîne vers la sienne.

Joe allume un autre joint et on le fume en finissant notre bière. Jeff nous parle de chacun de ses trophées de hockey. Pas que ça nous intéresse, mais, intoxiqués comme on l'est, on trouve ça juste drôle de le regarder se pavaner à côté de son « mur de la gloire ».

MONTAGNES RUSSES

C'est la première fois que je trouve Jeff aussi séduisant que Joe.

— Jeff, tu sais que j'ai toujours trouvé ton frère plus chaud que toi, mais, ce soir, je dois avouer que vous êtes tous les deux aussi bandants.

Ça les fait rire aux éclats. Moi, ça me gonfle de confiance. Jeff s'approche.

— Bandant, tu dis… Je ne sais pas pour mon frère, mais, quand je te regarde dans ta robe sexy, tu me donnes une érection, Dorothée…

Je regarde Joe. Interloquée, amusée, excitée. Je veux savoir si je lui fais le même effet. Il décèle ma question, pas très subtile, puisque je mets ma main sur le haut de sa cuisse et fixe son entrejambe.

— Oui. Oui, moi aussi, je suis dur, confesse-t-il en mettant sa main sur la mienne.

Je ne pense plus, je m'extasie.

— Les gars, montrez-moi vos pénis. Je ne vous crois pas. Je veux voir une double érection, dis-je, autoritaire et joviale, levant les bras au-dessus de ma tête comme une fille qui vient de gagner le gros lot.

Je continue de les désarçonner.

— Le premier qui me la montre, je le suce, déclaré-je, les mettant au défi et, par le fait même, me mettant au défi aussi.

En moins de trois secondes, je me retrouve assise sur le lit avec Jeff à ma droite, les culottes baissées, le membre pointé vers le plafond, et Joe à genoux sur le matelas, le pénis à quelques centimètres de ma bouche. Joe me regarde et, de la plus belle voix rauque du monde, me lance :

— N'oublie pas que je suis du type jaloux…

Il me dit ça pour que je le choisisse, c'est évident, et c'est tout ce qu'il me faut pour commencer ma manœuvre. Il flatte mes cheveux pendant que je m'exécute. Il grogne que c'est bon. De ma main droite, j'empoigne le pénis de Jeff, qui s'est rapproché, et je le caresse. Je n'ai jamais reçu autant de compliments en si peu de temps. Je ne sais pas qui des deux parle : « Tu es surprenante, Dorothée, je ne pensais pas que tu étais aussi cochonne, avoir su… » Je reconnais ensuite la voix de Jeff, qui est à côté de moi et qui a commencé à me toucher. « Tu réalises un de nos rêves… On va te faire jouir, tu vas voir. » Je suis si excitée que je fais de petits bruits. Joe me tire vers lui et je me tiens sur mes genoux pour l'embrasser. C'est un moment sublime. J'attends cela depuis longtemps. Au moment où je pose mes lèvres sur les siennes, je me rends compte qu'il tient ma tête entre ses mains, et je clique : ce sont les doigts de Jeff qui me pénètrent.

Mon Dieu. Mais qu'est-ce que je suis en train de faire ?

En une seconde, je ne suis plus soûle. Plus gelée. Je suis à moitié nue dans la chambre du gars sur qui tripe ma meilleure amie, et il s'attarde – et réussit – à m'exciter. J'ai le garçon que je veux devant moi, il me regarde, pas certain de comprendre ce qui se passe, tout en ne voulant pas me quitter. Ça n'a rien de romantique. Merde. Je n'ai rien à foutre ici. Ce n'était pas ça, le plan. Je n'ai jamais voulu d'un trip à trois. Je ne suis plus encouragée par ce que j'entends, je suis dégoûtée de moi.

Me sauver. *Go.* Tout de suite. Ça urge. Le feu est pris dans ma tête. Je dois sortir d'ici. Je manque d'air. J'étouffe. Je cafouille, je me lève, j'attrape un coton ouaté qui traîne sur le lit, je l'enfile en montant, je sors de la maison.

Il fait froid et je m'en fous. Je respire enfin, un peu.

— Do ! entends-je crier derrière moi. Attends, tu n'as même pas ton manteau. Je vais te raccompagner.

C'est Joe qui me court après.

— Tu es trop soûle pour marcher droit. Pourquoi tu t'en vas comme ça, me questionne-t-il tout en me poursuivant.

Je ne veux pas le voir. Je marche aussi vite que me le permettent mes foutus talons hauts. Je suis ridicule. Qu'est-ce qui m'a pris ?

— Laisse-moi tranquille ! hurlé-je.

Est-ce qu'il a arrêté de me suivre ? Je crois qu'il me regarde marcher de loin, mais je ne pourrais pas le confirmer, je ne me retourne pas. Mon seul objectif est de rentrer chez moi.

Est-ce que mes parents m'ont entendue crier ? Qu'est-ce que je viens de faire ? Est-ce que Joe va alerter Stéphanie ? Il ne me parlera plus jamais. Je viens de dépasser les limites. Pourquoi ai-je dit de telles obscénités ? C'est le genre de truc que font d'autres filles de l'école, mais pas moi. Je ne veux pas être comme elles. J'enlève mes talons hauts et je les jette dans la poubelle du voisin. Je cours pieds nus jusqu'à la porte. Je réussis à me rendre à ma chambre sans réveiller mes parents. La dernière chose que je veux, c'est que ma mère me voie dans cet état. Je me regarde dans le miroir et je ne comprends pas ce qui vient de se passer. Tout allait parfaitement bien avec Joe. Pourquoi ai-je fait ça avec Jeff ? Je n'en suis même plus certaine. Qui a commencé quoi ? Ça tourne. Je me recroqueville sous mes couvertes. Certains comptent les moutons pour s'endormir, moi, je répète : « Je suis une salope. Je suis une salope. Je suis une salope. » Jusqu'à ce que tout devienne noir.

CHAPITRE 6
APRÈS LA SAINT-VALENTIN, LA SAINTE MAUVAISE HUMEUR

Stéphanie

Réveil brutal. L'entraînement de ce matin a fait sortir les toxines de mon corps, mais, je l'avoue, c'était pénible de me motiver pour être sur la glace à neuf heures. J'ai eu du plaisir hier et, comme l'a démontré Dorothée, la téquila, ça fait perdre toute inhibition. Je ne sais pas si elle va se souvenir de sa danse sur la table du salon. Je l'ai textée huit fois. J'abuse ; je sais qu'elle dort encore, mais j'ai une faim de loup et je veux tout savoir de la fin du party. J'ai aussi hâte de lui raconter que Jeff m'a donné un baiser timide sur la bouche, en plus d'avoir enregistré son numéro de téléphone dans mon cellulaire… qui sonne, justement !

— Il était temps que tu m'appelles, je m'inquiétais !

— Je viens de me réveiller, parle moins fort, grommelle Dorothée.

— Tu as la voix rauque.

C'est tout ce que je trouve à dire. Il est où, l'entrain débordant de mon amie ? On est le lendemain de la soirée que nous attendions – qu'*elle* attendait – depuis un peu plus d'un mois, et tout s'est déroulé comme prévu, pour moi en tout cas.

— On a fumé, hier ? Hein ? me demande-t-elle, incertaine.

— TU as fumé, précisé-je à la blague.

— Bon, ce n'est pas la fin du monde.

Dorothée me répond sur la défensive, comme si je venais de lui faire un reproche. Je pense qu'elle s'en veut d'avoir un peu trop fêté. J'ignore sa petite attitude et je poursuis :

— Est-ce qu'on va déjeuner ?

— Je ne suis pas certaine de vouloir sortir de mon lit, m'informe Dorothée sur un ton lâche.

— Do, ça fait deux heures que j'attends que tu te lèves. Je suis allée m'entraîner et je meurs de faim. Je viens te chercher, mon père me prête son auto.

— OK… OK… je m'habille.

En tournant le coin de la rue, je constate qu'il y a plusieurs autos chez les jumeaux. Au moins une dizaine de personnes doivent avoir dormi là. Faut dire que leur maison est un château et que leurs parents sont absents. Je comprends maintenant pourquoi je ne les ai pas vus à l'aréna, aujourd'hui. Et je me souviens que Jeff m'a dit qu'il manquait très rarement des entraînements. Moi, je trouve qu'il a un talent naturel. Je n'ai pas le temps de rêvasser plus longtemps, je suis devant chez mon amie et je lance un tout petit coup de klaxon.

J'ai sous les yeux un classique que je n'ai pas vu depuis longtemps : Dorothée avec son jogging gris, un t-shirt ample et une casquette. Je ne peux m'empêcher de commenter :

— Wow, Do, tu arbores le look *casual trash*, ce matin.

Je la taquine pour la faire sourire.

— Grouille-toi, ma mère me crie après et je ne sais pas pourquoi. Je n'ai pas envie de la gérer en ce moment. Ma tête me fait mal. Rien à foutre de l'entendre.

— Que tu es agréable.

— Excuse-moi, je crois que j'ai abusé, hier, marmonne-t-elle, encore une fois avec de l'incertitude dans la voix.

— Est-ce que ça va ?

— Oui, oui, baragouine mon amie.

— On file au resto, j'ai trop hâte que tu me racontes la fin du party. Est-ce qu'il s'est passé quelque chose entre toi et Joe ? Je suis certaine que oui, il te déshabillait des yeux. Et tu sais quoi ? Jeff m'a embrassée ! Ben juste un peu, c'était pas un gros *french*, mais il m'a quand même embrassée avant que je parte ! J'ai aussi son numéro de cell ! déclaré-je, fière d'avoir accompli l'objectif de notre soirée et certaine de faire jubiler miss populaire.

Mais non. Aucune réaction. Pas de commentaire, pas même une allusion à son superplan qui devait nous permettre de changer de vie et de nous rapprocher des jumeaux. Si elle ne se souvient pas de sa soirée, ce que je viens de lui dire devrait au moins la faire réagir. Mais elle n'a même pas l'air contente pour moi. Elle ne semble pas non plus pressée de me raconter quoi que ce soit. C'est dommage, parce que sa moue affecte ma bonne humeur. C'est plate, être joviale toute seule. J'espère que son air bête va se dissiper avec un bon café.

Assise devant mon omelette mexicaine, je dévisage Dorothée qui mange sa crêpe et son double extra bacon. Elle n'a pas encore dit un mot.

— Dorothée Cardinal, si tu ne me racontes rien, moi, je vais te rafraîchir la mémoire. Te souviens-tu d'être montée sur la table du salon pour danser ? Et d'avoir dévoilé ton soutien-gorge en dentelle rouge, qui d'ailleurs est un *push-up* de première classe ? continué-je dans l'espoir de la faire réagir.

— Steph, j'ai juste dansé un peu, finit-elle par dire, neutre, ce qui ne lui ressemble pas.

— Tu étais digne d'un clip de Britney Spears ! lui précisé-je, sans la juger. Très belle, juste un peu osée pour moi. Mais ç'a fonctionné, hein ? Joe avait l'air charmé, même s'il l'était déjà, c'est évident, juste à voir comment il agit en classe.

— Oui.

C'est tout ce qu'elle me donne comme réponse.

— Voyons, Do ! Tu pourrais te forcer pour être un peu de bonne humeur. Tu avais juste à me le dire, si tu ne voulais pas venir déjeuner. Parfois, j'ai de la misère à te suivre. La soirée s'est déroulée exactement comme tu t'y attendais. Joe est fou de toi, j'en suis certaine, et tu n'as même pas l'air contente, bougonné-je, déçue de ne pas avoir de complice pour partager le beau moment que j'ai passé avec Jeff.

Mon amie me regarde. Je ne sais pas pourquoi, elle semble triste du déroulement des événements.

— Qu'est-ce qu'il y a ? Tu avais l'air de bien t'amuser, hier. Est-ce que tu es lendemain de veille, ou est-ce que tu ne te souviens plus de ta soirée ? Est-ce qu'il s'est passé quelque chose avec Joe ?

Ça y est, elle ouvre la bouche.

— Je ne peux pas croire que j'ai dansé comme ça. C'est tellement pas mon genre. Oui, je voulais attirer l'attention de Joe… mais crois-tu que je suis allée trop loin ? me demande-t-elle, l'air inquiet.

— Bof, ne t'en fais pas avec ça, tu avais pas mal bu. L'alcool, ça dégêne.

— Oui, mais toutes les filles ont bu autant que moi et personne d'autre ne s'est déshabillé sur une table…

— T'as arrêté avant de te déshabiller, ou plutôt je t'ai arrêtée… En tout cas, tu étais juste aguichante… ou charmante à l'extrême, risqué-je, ne sachant pas trop quoi dire.

Dorothée dramatise un événement peu important, si on considère que le sujet de notre repas devrait sans aucun doute être les plus beaux jumeaux du monde.

— Oui, une vraie agace, pétasse, garce… Et tu sais quoi ? Si tu ne m'avais pas agrippée pour m'entraîner plus loin, je me serais mise à poil, confesse-t-elle, visiblement contrariée par ses propres actions.

— Ben voyons, c'est impossible, tu ne serais pas allée plus loin. Pis c'est pas arrivé, alors il n'y a pas de quoi s'énerver, la rassuré-je pour la énième fois. Parlons plutôt de Joe. Il te collait pas mal, quand je suis partie. Raconte-moi la fin de la soirée, arrête de me faire patienter, la supplié-je, tentant à nouveau de rediriger la conversation.

— Il n'y a rien à dire. Arrête de me poser des questions, me lance-t-elle brusquement. Tu me fais penser à ma mère. Vous êtes toutes les deux sur mon dos et ça commence à me taper sur les nerfs, rage-t-elle.

J'en ai assez. Je me suis couchée tard, je suis allée m'entraîner, je l'ai attendue pour déjeuner, je suis allée la chercher, j'endure son attitude depuis le début du repas et elle ne me parle même pas comme il faut. Elle ne veut pas me raconter la fin de sa soirée parce qu'elle fait une fixation sur sa petite danse, mais ça me fâche qu'elle ne fasse même pas l'effort d'être contente de mon rapprochement avec Jeff. Je soupire. J'ignore si c'est le bon moment… Enfin, je crois qu'il n'y a pas de bon moment pour dire la vérité à son amie. Mais j'aimerais lui parler de ses sautes d'humeur et de son ton massacrant, qu'elle a ressorti ce matin. C'est bien beau, l'adolescence et être lendemain de veille, elle peut être à pic avec sa mère si ça lui chante, mais moi, je ne lui ai rien fait. Je n'en peux plus qu'elle me parle comme ça. Mais je ne veux pas de chicane, je ne veux pas subir un élan de colère injustifié de la part de Dorothée. Je souhaite juste profiter du souvenir du baiser délicat de Jeff et de ses yeux dans les miens quand il a pris mon téléphone et qu'il a lui-même enregistré son numéro dans mes contacts, alors je change de sujet :

— Je voudrais aller magasiner, aujourd'hui. J'aimerais ça que tu viennes avec moi, pour me conseiller. Ce n'est pas mon genre, mais j'ai le goût que Jeff me trouve *cute* demain, à l'école. J'ai vraiment l'impression que ça clique entre lui et moi. En plus, je n'ai pas acheté un nouveau chandail depuis septembre !

— Cool. Bonne idée. Je vais t'accompagner. On peut aller à la boutique sur le grand boulevard, la vendeuse est super cool et on aura juste un magasin à faire, finit-elle par dire, l'air de vouloir enfin coopérer.

— C'est parfait, parce que je veux remplir mes formulaires de demande d'admission au cégep en fin d'après-midi. Mon horaire est tellement chargé que j'ai peur de ne pas avoir le temps. Le 1er mars arrive vite, on est déjà le 15 février.

Ça y est. Do crispe encore son visage. Son téléphone sonne.

— C'est ma mère, constate-t-elle en saisissant son cellulaire. Je n'ai pas envie de lui parler. Ce matin, je l'ai entendue discuter avec mon père et lui expliquer que j'étais rarement à la maison. Imagine, elle lui a dit que j'étais rentrée à trois heures du matin, hier soir… Bon… je n'ai pas entendu la fin de la conversation, mais je devine qu'ils se disaient combien ils étaient déçus de leur fille. Au moins, s'ils avaient eu d'autres enfants, je ne serais pas la seule à être obligée de performer. Alors, sérieusement, je ne veux plus entendre parler de demande d'admission, OK ? m'implore-t-elle, me laissant perplexe devant autant d'informations en une seule réponse.

— Ben oui. Mais là, trois heures ! J'avais décidé il y a trente secondes de te laisser tranquille avec ça, mais tu m'obliges à te relancer. J'ai un *deal* pour toi. Je ne prononce plus le mot « cégep », à condition que tu me racontes ce que tu as fait entre mon départ et trois heures du matin. Je suis prête à parier que tu étais avec Joe. Avez-vous eu des rapprochements ? jubilé-je en la questionnant. Et ne me dis pas qu'il n'est rien arrivé parce que je ne te croirai pas. Je te connais trop bien, mademoiselle Cardinal.

Mon amie rougit. Ce n'est pourtant pas dans ses habitudes. Je perçois un malaise. Elle baisse les yeux et se mordille la lèvre. Elle a cette manie quand elle est gênée. Elle ouvre la bouche, hésite, prend une grande respiration. J'ai l'impression qu'elle va m'annoncer qu'elle a couché avec lui ; oui, c'est certain que c'est ça.

— Joe m'a embrassée. Beaucoup. Longtemps. C'est tout ce qu'on a fait d'une à trois heures du matin. On a aussi fumé un autre joint, je n'arrêtais pas de rire. Et puis, on a pris une bière avant que je parte, me confie Dorothée, ce qui fait apparaître un léger sourire sur son visage défait par sa courte nuit.

— Épique, c'était un samedi épique ! m'exclamé-je. C'est fou comme tu as tout ce que tu veux, Do. Te rends-tu compte comme tu es chanceuse ? Ton cell sonne encore. C'est déjà ton beau futur chum Joe, dis-je en arquant les sourcils, enfin soulagée de voir que la fin de soirée de Dorothée a été aussi belle que la mienne.

— Impossible qu'il s'agisse de mon beau jumeau, je ne lui ai pas donné mon numéro et je n'ai pas le sien, balbutie-t-elle en baissant les yeux. C'est ma mère, je n'ai pas le choix de décrocher, ça fait trois fois qu'elle me texte, en plus.

Je regarde Dorothée parler à sa mère. Ç'a l'air sérieux. Do roule les yeux et des plis se dessinent sur son front. Elle raccroche et me regarde, l'air piteux.

— Je suis désolée, je suis obligée de passer mon tour pour le magasinage. Ma mère est furieuse. Elle vient de recevoir sa facture de carte de crédit et…

— Dis-moi pas que tu as trop magasiné ?! que je l'interromps, faisant de mon commentaire une évidence.

— Comment puis-je être aussi douée en mathématiques et n'avoir rien calculé ? Je n'y ai même pas pensé. Essaie de deviner combien j'ai dépensé entre le 3 janvier et le 3 février, me défie-t-elle, un brin sarcastique.

— Je ne sais pas, mille dollars ?

Dorothée se met à rire en secouant la tête de gauche à droite.

— Non, plus que ça. Ma mère dit que ça dépasse les cinq mille. Elle exagère, c'est certain, m'indique-t-elle, sans l'ombre d'un remords.

— Quoi ?! Mais c'est dingue. Tu es folle ou quoi ?

Je n'en reviens pas. Dorothée n'a même pas l'air si surprise. Je sais que ses parents sont riches, mais, quand même, c'est démesuré.

Sur le chemin du retour, je me questionne. Pourquoi est-elle si calme à l'idée d'affronter ses parents et de devoir justifier ses dépenses alors qu'elle réagit si fortement au fait de s'être émoustillée au party ? Avant de tourner dans sa rue, je la relance une dernière fois, tentant de comprendre ses volte-face.

— As-tu vraiment acheté pour cinq mille dollars de vêtements sans le dire à tes parents ? Tu pensais qu'ils ne s'en rendraient pas compte ? avancé-je sans attendre de réponse. Et tu as embrassé Joe pendant super longtemps, alors que tu en rêves depuis des années, et tu n'as même pas l'air contente. Réactions, s'il vous plaît ! l'imploré-je.

— Je n'ai pas envie de réagir, je ne sais pas quoi penser.

— Tu es tellement difficile à suivre. Je sais que ce ne sera pas évident de faire face à tes parents. Ils vont vouloir que tu t'expliques, ce n'est tellement pas ton genre. Mais pour Joe… Tu as toutes les raisons du monde de te réjouir.

— Mes parents, je m'en fous. Quant à Joe, je suis certaine qu'il ne voudra rien savoir de moi à cause de la danse que j'ai faite. Je n'ai jamais eu l'air aussi niaiseuse de toute ma vie, se reproche Dorothée durement.

— Ben voyons donc. OK, ça ne te ressemble pas de te lâcher lousse comme ça, mais ce n'est pas dans tes habitudes non plus de boire autant et de fumer des joints. Ça s'explique.

— Non, ça ne s'explique pas, justement. Je ne ferais jamais ça en temps normal, dit-elle en haussant le ton. Je n'aurais jamais dû faire ça. Ce n'est pas moi, de danser comme ça ! me crie-t-elle.

Elle se passe la main dans les cheveux à répétition, on dirait qu'elle les tire. Elle continue :

— D'habitude, quand je suis soûle, je ne suis pas comme ça. Je rigole, je dors. Au pire, je vomis, me lance mon amie, se condamnant très sévèrement – trop, à mon humble avis.

— Ne sois pas trop dure avec toi. Ça arrive, de déraper. Ce n'est pas si pire que ça, murmuré-je, sincère.

Je roule lentement dans sa rue, pour lui permettre de décompresser un peu avant de s'expliquer avec ses parents. Elle inspire profondément, expire, soupire, se retourne vers moi, relève le menton et me dit doucement :

— Excuse-moi, je suis la pire amie du monde. J'espère que… que tu… que tu vas me pardonner, bégaie-t-elle.

Je suis contente qu'elle s'excuse de son attitude. Je lui souris, mais je n'ai rien à ajouter. J'ai hâte de retourner chez moi.

— Je suis contente pour toi et Jeff, ajoute-t-elle. J'espère que tu vas lui téléphoner. Et, même si tu ne vas pas magasiner, je suis certaine qu'il va te trouver super belle, demain matin, à l'école, et qu'il va vouloir t'embrasser pour de vrai, conclut Dorothée.

Je connais mon amie. Elle n'aime pas qu'on se quitte sur une mauvaise note. Elle vient de passer de semi-hystérique à presque sympathique et un brin compatissante.

Je lui lance un «bonne chance» avant qu'elle sorte du véhicule. Elle va en avoir besoin.

CHAPITRE 7
BONJOUR LA CULPABILITÉ

Dorothée

Je regarde Steph s'en aller. J'ai gâché notre plan et elle m'en voudra à mort quand elle saura ce que j'ai fait, hier. La vérité me saute en pleine face. Je suis nulle. Et je suis dans le pétrin. C'est un dimanche catastrophique. Je n'ai qu'une envie : retourner me coucher en boule dans mon lit. Je n'ai pas l'énergie d'affronter mes parents. Subir leur sermon n'est pas une option envisageable. Mon père m'ouvre la porte, l'air sérieux. Je suis prise au piège.

— Viens t'asseoir dans la cuisine, s'il te plaît. Ta mère et moi, on veut discuter.

— Oh misère, répliqué-je.

— Allez, ce n'est pas le moment de faire de l'attitude, tu l'as assez fait depuis quelque temps, rétorque-t-il sur un ton de reproche que je ne lui connais pas.

— Papa, tu n'es jamais là. Tu ne peux pas parler, bafouillé-je en me dirigeant vers la cuisine.

Je prends place à la table. Je prétexte une nausée et une envie d'aller me recoucher, mais ma mère ne me laisse pas le choix. Elle a du vécu et elle me le rappelle : « Moi aussi, ma petite fille, j'ai fêté et je sais ce que c'est, d'avoir la gueule de bois. Tu as trop bu ? Eh bien, assumes-en les conséquences. »

Sa fixation : mes dépenses excessives. Elles sont écrites noir sur blanc sur le papier qu'elle glisse devant mes yeux. Son compte de carte de crédit provoque chez moi un serrement dans la gorge. C'est une maman colérique qui insiste sur les chiffres surlignés en jaune, représentant toutes les dépenses que j'ai faites. Elle répète trois fois de suite : « Quatre mille huit cent quatre-vingts dollars. »

— Ce n'est pas cinq mille, comme tu me l'as dit tout à l'heure.

Je suis cynique. Effrontée. Je le sais, mais je ne peux pas m'en empêcher.

— Cinq mille, c'est la limite ! crie ma mère. J'aurais été informée si tu l'avais dépassée. Franchement, Dorothée, je ne te reconnais pas. Ce n'est pas toi, de dépenser comme cela, et encore moins de te pavaner dans des vêtements de la sorte. J'ai fouillé dans ta chambre, tu sauras, m'informe-t-elle, de l'incompréhension dans les yeux. Les chandails en haut du nombril, les bottes à talons… On ne s'habille pas pour aller à l'école comme on se vêt pour une occasion spéciale… et encore là ! Quatre mille huit cent quatre-vingts dollars, à quoi as-tu pensé ? s'insurge-t-elle.

Je me sens mal. Je voudrais m'excuser, mais je ne trouve pas les mots. Ni le courage.

— Arrête de te répéter. Et puis, la carte est à mon nom. Pourquoi m'en as-tu fait faire une si tu ne veux pas que je dépense ?

— Tu vas parler à ta mère sur un autre ton, intervient mon père, furieux.

Je crie. Je suis d'une insolence déséquilibrante pour moi autant que pour mes parents.

Mon père n'entend pas à rire. Il met un terme à la conversation avant que cela dégénère.

— Ta carte de crédit, c'est pour les urgences. Si tu veux dépenser, tu dois nous le demander. À partir de maintenant, la limite de la carte sera de cinq cents dollars. On n'aurait jamais cru que tu exagérerais comme cela. D'ailleurs, je suis déçu de voir que tu n'as aucune excuse valable, s'offusque-t-il, croisant les bras, levant les yeux au ciel, découragé. Nous avons décidé que tu aurais deux fois moins d'argent de poche qu'avant, jusqu'à la fin de l'année scolaire. Ça ne remboursera pas tout, mais, au moins, ça va t'apprendre un peu la valeur de l'argent. Il ne pousse pas dans les arbres, tu sauras, conclut-il, braqué, insensible aux larmes qui embuent mes yeux.

Je ravale ma peine. Je ne veux pas être faible. Et puis, au point où j'en suis, je me fous de mon argent de poche. Je laisse ma mère crachoter son mécontentement et je me sauve en l'envoyant promener. Je claque la porte de ma chambre. Ça y est. Je veux disparaître. Je suis en colère. Contre moi. Contre l'Univers qui est contre moi.

Je laisse couler l'eau salée sur mes joues. Le flot de ma tristesse est incontrôlable. Je gémis, tellement ma douleur est grande. Stéphanie finira tôt ou tard par découvrir la vérité sur ce qui s'est passé. Mes parents me feront la vie dure, c'est certain. Et Joe… juste d'y penser, mon estomac se noue. Ma tête me fait mal. Je sue. Je n'ai pas le choix de m'extirper de mon lit pour aller vomir mon déjeuner (deux fois plutôt qu'une).

Mon état se détériore. J'ai laissé la porte du balcon ouverte. L'air frais calme mes bouffées de chaleur. De retour au creux de mon lit, je n'ai tout à coup plus de larmes. Je suis vidée.

Incapable de m'endormir. Les derniers événements de ma piètre vie défilent dès que je ferme les yeux. Je revois en boucle la scène avec les jumeaux et je ne sais pas quoi penser. C'est une expérience que bien des filles de l'école ont faite et, en théorie, ce n'est pas si pire que ça. Je n'ai couché avec aucun des deux. Le problème, c'est que, et d'un, je ne sais pas combien de temps a duré notre petit jeu. Et de deux, c'est moi la conne qui ai tout orchestré. Et de trois, ça ne faisait pas partie du plan. Loin de là. Je n'ai même jamais fantasmé ça. Et de quatre, ça remet en question mon intégrité, ma popularité, en plus de réduire à zéro mes chances d'aller au bal avec Joe. Finalement, j'ai menti à ma meilleure amie pour la première fois. Pourquoi ne lui ai-je pas tout raconté ?

Je m'en veux. Je me déteste jusqu'à ce que je sois soulagée par le sommeil.

Le lundi matin arrive trop rapidement. Impossible que j'aille à l'école. Je ne sais pas ce que les jumeaux pensent de moi, et affronter Steph, c'est comme grimper le Kilimandjaro pieds nus, sans guide. En plus, je ne tolère pas l'image que me renvoie le miroir. J'ai pleuré toute la soirée, alors, même si j'ai dormi des heures, mes yeux n'ont pas l'air reposés du tout. Ma face ressemble à celle d'un pug.

— Maman, j'ai mal au cœur, dis-je, l'air bête et la voix brisée.

Ma mère semble me croire, ou bien elle se fout de moi parce qu'elle est encore frustrée par mes dépenses sur sa carte de crédit.

J'hésite.

— Maman, excuse-moi.

Elle inspire. Me regarde de la tête aux pieds. Je la déçois encore et encore. Je suis une source constante de découragement.

— Je suis encore fâchée, mais j'accepte tes excuses. Mais tu dois aussi demander pardon à ton père. Appelle-le, il est déjà en route pour l'aéroport, mais son vol est seulement à dix heures. Moi, je pars pour le bureau. Repose-toi, aujourd'hui, tu iras à l'école demain. Et profites-en pour réfléchir.

Je marmonne un merci et je retourne dans mon lit. J'appelle mon père. Après lui avoir fait des excuses sincères et la promesse de me forcer pour rétablir l'harmonie avec ma mère, je suis surprise par sa question: «Et puis? Ton party de Saint-Valentin?» J'aurais envie de tout lui raconter. Je sais qu'il ne me juge pas, lui. Mais c'est trop difficile. Comment dire à un père que sa fille a fait des cochonneries avec le gars avec qui sa meilleure amie veut sortir et que, en plus, elle était avec le gars avec qui elle projette bâtir son avenir? Je l'imagine me répondre: «Alors, vous étiez trois?» Vraiment pas une bonne idée. Un simple «je ne veux pas en parler, papa, bon vol» suffit pour clore la conversation. Je sais qu'il me rappellera et qu'il reviendra à la charge, mais on dirait qu'il devine que, pour l'instant, je suis incapable de décrire ce qui s'est passé. Comme j'aimerais m'envoler et disparaître aussi…

Envoyer un texto à Steph est la moindre des choses. «Je t'abandonne, aujourd'hui. Je suis malade à retardement de ma brosse de samedi soir. À +»

Incapable de réfléchir, je décide de dormir.

Trois jours ont passé sans que rien bouge. Plus je dors, plus je m'endors. C'est la faim qui me pousse à m'extraire de ma chambre.

— Je ne sais pas quoi faire, elle a vraiment l'air malade. Elle doit combattre quelque chose, car elle dort sans arrêt. Je ne la croyais pas, mais j'ai travaillé à la maison et c'est vrai, entends-je.

La voix de ma mère provient du salon. Ses paroles me stoppent. Discrète, j'écoute.

— Non, elle ne fait pas de fièvre, elle a l'air piteuse… Oui, un peu comme l'été dernier ; oui, je vais l'amener chez le médecin demain, confirme-t-elle avant de raccrocher.

Je devine qu'elle parlait à mon père.

Vite. Je retourne dans mon cocon. L'appétit est parti. Je dois dormir pour ne pas avoir à faire face à maman. La vibration répétée de mon cellulaire m'empêche de somnoler. D'abord mon père qui me texte de l'appeler dès mon réveil, peu importe l'heure. Ensuite, celle qui est encore mon amie, pour l'instant, téléphone.

Steph m'a appelée hier et avant-hier, pour prendre de mes nouvelles, et aussi pour m'informer des devoirs que j'aurai à remettre. Ça me confirme que Jeff ne lui a rien dit. Ça m'étonne. Je me force à lui répondre, faisant bien attention de parler à voix basse, pour que ma mère ne se doute pas que je suis réveillée. Ma meilleure amie est très excitée, parce que Joe voulait savoir quand j'allais revenir à l'école. Cette dernière information vient encore plus mêler les cartes. S'ils n'ont rien raconté, c'est que les jumeaux s'attendent certainement à continuer ce que nous avons commencé.

— Dorothée, m'écoutes-tu? me demande Stéphanie, qui se rend bien compte, même au téléphone, que je suis dans la lune.

— Oui, oui, continue, chuchoté-je.

— J'ai trop hâte que tu reviennes à l'école. C'est plate quand tu n'es pas là. Mais sais-tu qui m'a invitée à manger avec lui, hier midi et encore aujourd'hui? Jeff. Eh oui! Si tu savais comme je suis contente! C'est un gars fait sur mesure pour moi. Il me donne beaucoup de trucs pour mon entraînement.

C'est le monde à l'envers. Stéphanie parle sans arrêt, et moi, j'écoute, j'acquiesce, ne sachant pas trop quoi répliquer de peur de la décevoir. Elle est si contente. Elle dit que grâce à moi, on va terminer notre secondaire en se tenant avec les deux plus beaux gars de l'école. Elle rêvasse au fait qu'on pourrait aller au bal chacune avec un jumeau. Je m'en veux d'avoir souhaité tout cela. Et je m'en veux d'avoir tout gâché. Je dois mettre fin à cette conversation.

— C'est cool. Vraiment. Mais là, je vais retourner me coucher. Je suis fatiguée.

— Je vais venir te porter tes devoirs, on va pouvoir potiner, ça va te faire du bien, propose-t-elle, sans savoir que, si on jase et que je lui raconte tout, elle aura mal.

— Non, j'aime mieux que tu ne viennes pas chez moi. J'aurais peur que tu attrapes ce que j'ai. Et puis, je n'ai pas la tête aux devoirs. Ça me donne des frissons, juste d'y penser.

— Prends soin de toi, me conseille-t-elle.

Ce soir, avant de m'endormir, je me jure de ne plus repenser au party de Saint-Valentin et d'ignorer Joe. De cette manière, je n'aurai plus de stress et mes vieux seront contents parce que j'irai à l'école. J'aurai la paix. Reste que ça ne m'empêche pas de maudire mes parents pour m'avoir mise au monde.

Je me réveille. Poquée. Pire que le lendemain du jour de l'An. Exactement comme si j'avais ingurgité quatre bouteilles de champagne. Sauf qu'aujourd'hui, contrairement au 31 décembre dernier, il n'y a rien de bien devant moi. Mon futur ne brille pas. Ma situation est sans horizon, parce qu'il n'y a tout simplement pas de solution.

J'entame ma quatrième journée de « maladie ». Les guillemets sont nécessaires, parce que je ne sais pas ce que j'ai.

Au début, c'était tout ce qu'il y avait de plus normal comme symptômes de lendemain de veille. La culpabilité et la honte associées à mon comportement déplacé au party de Saint-Valentin n'ont fait qu'empirer les choses. Je commence à pleurer. Je m'en veux. Depuis des jours, les scènes tournent en boucle dans ma tête. Celle où nous avons tous trop bu et où les jumeaux rigolent autant que moi. Ensuite, la séquence où je supplie les gars de me montrer leurs pénis et que je me transforme en salope prête à sucer tout ce qui bouge. Et le clip où la fille pète sa coche, passe de cochonne à sainte-nitouche en moins de deux secondes et envoie promener les deux plus beaux gars de l'école. C'est un film d'horreur sans fin.

Comme si l'humiliation de cette seule soirée n'était pas assez, la suite m'apparaît comme l'enfer qui s'ouvre sous mes pieds. Et la suite, c'est l'école, donc pas question pour moi d'y retourner. Je gage que les jumeaux se sont vantés et que tout le monde est déjà informé. Et, comme toujours, quand c'est un gars qui joue à touche-pipi version dégourdie, c'est cool, mais, quand c'est une fille, on la traite de pute.

Je suis malade, c'est comme une grippe. La H1N1, ou l'Ebola, tiens! Je suis amorphe. J'ai mal au corps. Ma tête bourdonne. Je souffre d'une extrême fatigue. Je n'ai qu'un seul souhait: recommencer mon primaire pour ne pas avoir le même secondaire. Tout effacer et réécrire ma vie.

Je suis déboussolée. Je ne suis en rien ce que je voudrais être, encore moins ce que j'étais il y a à peine une semaine. Je sais ce qui m'attend, alors je prends les devants. Les pas de maman se font entendre ; elle se dirige vers ma chambre et je me décide.

— Maman ? lui dis-je avec la voix d'une petite fille.

— Oui, Dorothée ? me répond-elle en entrant dans ma chambre, avec le regard d'une maman inquiète.

— Peux-tu m'amener à la clinique ? J'aimerais ça, voir un docteur.

— Oui. Justement, j'en parlais à ton père, hier soir. On s'inquiète beaucoup. On veut bien croire que tu ne te sens pas bien…, hésite-t-elle, mais on a de la difficulté à mettre le doigt sur le bobo. Tu as manqué beaucoup de journées d'école et ça ne peut plus durer comme cela. Tu sais… tu as le même air, les mêmes yeux tristes que l'été dernier, quand tu étais déprimée.

Ça y est. La même rengaine. Ridicule.

— Maman, tu m'étourdis et tu me fais pitié, à force de te raconter des histoires. Je n'ai jamais été déprimée. Le doc, toi et papa, vous vous inventiez des scénarios pour tenter d'expliquer mon adolescence. Vous êtes pathétiques. Si tu veux vraiment le savoir, j'ai souffert de n'avoir rien à faire durant les dernières vacances estivales. Avec Steph partie pour un mois et vous qui travailliez toujours, mon activité de m'écraser devant la télé, enfermée dans ma chambre, me convenait parfaitement. Si ce n'avait été de vos inquiétudes démesurées, j'aurais eu la paix.

— OK. Habille-toi, on s'en va à la clinique.

Ma mère ne s'obstinera pas avec moi au sujet de ce qu'elle appelle mon «épisode dépressif». Juste l'expression me donne de l'urticaire et elle sait que c'est un sujet de discorde. Chaque fois qu'elle en fait mention, je pète les plombs. Aujourd'hui, je n'ai pas l'énergie d'exploser. Je lui ai expliqué à plusieurs reprises – et à mon père et au médecin qu'elle m'a obligée à voir – que ce n'était rien, que je m'ennuyais, mais que je n'étais pas pour autant dépressive. Juste lasse. La vérité, c'est qu'il n'y avait pas de raison réelle à mon attitude blasée. Je ne mentais pas quand je disais que je me sentais juste comme ça. Comme molle. Sans réelle émotion. Comme si la fin des classes m'avait vidé l'intérieur. Durant les deux mois de l'été, je n'ai eu envie de rien et mon expression faciale en était la preuve irréfutable. Bref, pour moi, ça n'a été qu'un épisode de ma phase

« ado lâche », mais, pour les adultes de mon entourage, c'est béton : « Dorothée a eu un épisode dépressif. » Ça m'enrage.

— Peux-tu prendre un rendez-vous au privé ? demandé-je d'une voix faible. J'ai horreur des files d'attente.

— C'est déjà fait.

— Bonjour, Dorothée, me dit le docteur en me regardant droit dans les yeux. Alors, qu'est-ce qui t'amène dans mon bureau, aujourd'hui ?

— Je ne file pas. Je n'ai pas le goût d'aller à l'école. Ça me semble trop difficile, réponds-je, la voix tremblotante, me mordillant la lèvre inférieure.

Ça y est, il n'en fallait pas plus pour que je me mette à pleurer. Brailler. Le médecin pousse la boîte de mouchoirs dans ma direction.

— Pleures-tu souvent comme cela ? me demande-t-il spontanément.

— Un peu.

— Dors-tu beaucoup ? continue-t-il, du tac au tac.

— Constamment, répliqué-je, agrippant un mouchoir comme un enfant saisit un bonbon.

Suis-je censée lui confier que plus je me repose, plus je m'éteins ?

— Depuis quand ?

— Je dirais quatre ou cinq jours.

— Avais-tu plus d'énergie avant d'être épuisée ?

Devrais-je lui dire que rien ne me réveille, même pas le café ? Rien ne m'allume, même pas le souvenir des yeux de Joe dans les miens ni de sa bouche sur la mienne.

— Je ne sais pas, articulé-je d'une voix plus affirmée cette fois, ces questions en rafales me dérangeant.

— As-tu commis des gestes impulsifs ces derniers temps ?

— Pourquoi vous posez cette question-là ? demandé-je, comme s'il savait pour ma danse et mon inconduite sexuelle au party de Saint-Valentin.

— Ce sont des questions communes pour un patient qui a des symptômes dépressifs. Et, si je me fie à ton dossier, tu as eu un petit épisode *down* il y a sept mois.

Quoi ? Un autre qui utilise le mot « dépressif ». J'ai dix-sept ans et les *burn-out,* c'est pour les vieux. Impulsive ? Oui ; en ce moment, j'ai envie de cracher en plein dans la face du médecin. Mais… entre la réaction que j'ai dans ma tête et ce qui sort de ma bouche, il y a un décalage, et je réponds finalement à sa question. Il y a dans son sourire compatissant une mimique qui donne le goût de se confier.

— En réalité… j'ai fait des choses que je regrette, mais c'est parce que j'avais trop bu dans un party, alors je ne sais pas si ça compte comme un geste impulsif.

— As-tu des idées noires ?

Des idées noires ? Qu'est-ce qu'il veut dire ?

— As-tu des pensées suicidaires ? précise-t-il, voyant que je reste silencieuse.

— Non.

Je suis catégorique. Je suis amorphe, mais je ne suis pas morte.

— Et ton appétit ? Le médecin qui t'a rencontrée l'été dernier a indiqué que tu avais perdu du poids, car tu ne mangeais presque pas.

Maudit échange d'informations. La prochaine fois, je change de clinique.

— Je mange bien.

— On va examiner ta glande thyroïde et faire des tests pour la mononucléose. L'infirmière va venir pour les prises de sang, comme ça on aura les résultats dans les prochains jours. D'ici là, je te prescris du repos. Tu devrais peut-être parler à quelqu'un de ce que tu vis ? Une amie, tes parents, un psychologue ?

— Oui. Merci, docteur.

Un premier sentiment favorable se fait ressentir dans mon pauvre corps : la satisfaction. Et d'un, je suis suivie. Et de deux, je ne retourne pas à l'école avant d'avoir les résultats des tests sanguins. Deux stress de moins.

À ma sortie du bureau du médecin, ma mère me questionne, et je dois avouer que c'est justifié :

— Alors, Dorothée, qu'est-ce que le docteur a dit ?

— Mon bilan sanguin nous en apprendra plus. Le médecin va téléphoner. En attendant, il faut que je me repose.

— C'est tout ? commente ma mère sur son ton d'avocate qui ne se contentera pas de si peu d'informations.

— Oui, réponds-je, un doute perceptible dans ma voix.

J'hésite.

— Il m'a aussi dit que j'ai l'air un peu déprimée. Attends avant de répliquer. Je suis toute croche en dedans, mais c'est parce que je vis des choses pas faciles. Il dit que ça arrive à mon âge, ajouté-je, même si ce ne sont pas les mots du médecin. Il me conseille d'en parler, mais ça ne me tente pas. Et, s'il te plaît, ne fais pas allusion à l'été passé, ça n'a rien à voir, je le sais. Fais-moi confiance.

Ma mère conduit. Elle reste silencieuse et regarde attentivement la route. Un malaise plane dans la voiture. Elle finit par briser le silence :

— Est-ce que c'est ta demande d'admission qui te rend nerveuse ? Je sais que tu ne veux pas qu'on en parle, mais être indécise sur son avenir, c'est tout à fait normal.

Je n'en reviens pas. J'ai été naïve de croire qu'elle avait lâché prise. Comme si la seule chose au monde qui pouvait m'embêter était ma scolarité. Vraiment, ma mère a une obsession des études. J'ai le goût de rager et de pleurer encore, mais sa réaction médiocre se transforme en porte de sortie.

— C'est un peu de tout, maman. C'est vrai que je suis mélangée.

Ce n'est pas un mensonge. J'ai l'impression de ne plus savoir qui je suis depuis samedi dernier. Je n'aime pas trop y réfléchir, d'ailleurs, parce que, quand je pense trop, je ne me sens pas bien.

Après avoir passé trois jours à la maison avec moi, ma mère est retournée au bureau lundi matin. Son insistance à discuter ou à me faire avaler ses bons petits plats ne m'aide en rien.

— Salut, papa, réponds-je après avoir activé la caméra de mon téléphone, sincèrement heureuse d'entendre sa voix.

— Bonjour, ma belle fille d'amour, est-ce que je te réveille ? me demande-t-il doucement.

— Non, lui assuré-je en souriant parce que la vue de son visage me réconforte. Ta petite fille regarde la télévision.

— Je ne te vois pas bien, m'indique-t-il, avant de poursuivre. Est-ce que tu t'ennuies, toute seule ?

J'allume une lumière.

— Pas du tout, je me repose, c'est tout. J'attends impatiemment les résultats de mes tests, je dois t'avouer que ça m'inquiète un peu d'être dans cet état-là.

— Moi aussi, me confie-t-il avant de dévier la conversation vers le film que j'écoute.

Les jours suivants, mon remède est simple : je m'enroule dans ma doudou avec mon pyjama à pattes rose, me prépare un bol de crème glacée et écoute une télésérie en rafales ou mon film préféré trois fois de suite. Je réponds aux textos de maman et aux appels vidéo de papa.

Aujourd'hui, pour me distraire, je m'installe au sous-sol pour visionner la série *Twilight*. Les vibrations répétées de mon cellulaire me sortent de ma léthargie. Un texto de Félix, cette fois : « Comment vas-tu ? Ma sœur m'a dit que tu es absente de l'école depuis une semaine… Est-ce que je peux faire quelque chose pour te réconforter ? » Il est trop mignon. Félix a un sixième sens. Au moment où je m'apprête à lui répondre, il m'envoie une photo. Lui, un café à la main, accoudé à une auto de police. Pour le faire rire, je lui renvoie une photo de beigne. Il me répond illico: «Tu vas bien, ton sens de l'humour est intact.»

Ma mère revient de travailler et me demande de venir la rejoindre. J'arrive à la cuisine enroulée dans ma doudou.

— Dorothée, le docteur a appelé et tes tests sanguins indiquent que tu es en parfaite santé. D'ailleurs, je trouve que tu as meilleure mine, aujourd'hui.

Je ne sais plus quel jour on est, jeudi, je crois.

— Ah oui, lui réponds-je, semi-surprise.

J'aurais tellement aimé avoir une maladie incurable.

— Eh oui. Tu as un rendez-vous de suivi dans deux mois, juste pour surveiller ton moral.

— Ouf, soupiré-je.

— Je vais être super gentille et te laisser la journée de demain pour faire ton ménage, ton lavage. Ce week-end, on va aller à la campagne, chez ta tante. Tu vas prendre l'air, voir tes cousines, et tu seras en pleine forme pour aller à l'école lundi.

— Mais, maman…

— Il n'y a pas de « mais maman ». C'est fini, le laisser-aller. Si tu es dans cet état-là parce que, comme tu le dis, « tu vis des choses », eh bien, te changer les idées et te remuer le derrière, ça va aider. Si tu es déprimée, ce n'est pas de dormir et d'écouter la télé en mangeant de la crème glacée et en buvant du café qui va t'aider.

Ma mère est catégorique.

Ma vie est un cauchemar.

CHAPITRE 8
URGENCE POUR LES PETITS BOBOS

Stéphanie

Lundi matin. La cloche va sonner dans trente secondes et Dorothée n'est pas encore en classe. Je vais la texter une dernière fois pour être certaine qu'elle va venir à l'école, comme prévu. « Où es-tu ? Le cours commence. » Je reçois une réponse en deux secondes : « Toilettes. Premier étage. J'attends que la cloche sonne. Je ne veux pas parler à Joe. » Je l'encourage et tente de la ramener à la réalité : « Arrête de capoter, Joe a *full* hâte de te voir. Grouille. »

Je lui ai répété deux cents fois, hier soir, durant notre conversation téléphonique d'une heure et demie, que Joe n'a jamais reparlé de sa danse sexy, ni aucun autre élève, d'ailleurs. La Saint-Valentin, c'est dépassé, plus personne ne repense à ce party, sauf Do. Je trouve qu'elle fait une fixation là-dessus. Et puis, je suis certaine que Joe s'en fout, parce qu'il m'a lui-même demandé des nouvelles de Dorothée.

Je reçois un autre texto et je suis surprise de voir que c'est Jeff: «On mange ensemble ce midi?» J'acquiesce du regard et il me sourit. Depuis le party de Saint-Valentin, on est toujours ensemble le midi, à l'école, sauf le jour où j'ai une réunion du comité social. Le plan de Dorothée fonctionne à merveille, je pense que je vais sortir avec Jeff bientôt. On s'est vus un peu à l'extérieur de l'école, surtout à l'aréna, en fait. Il est resté pour mes deux derniers entraînements de ringuette et j'ai fait de même. Il m'a même offert de me reconduire, prenant soin de m'ouvrir la portière. Le summum, c'est qu'il m'embrasse chaque fois qu'on est seuls, et ce, avec un naturel déconcertant. Il a voulu m'embrasser vendredi midi, dans la cafétéria, mais je lui ai dit que «je ne *frenchais* pas en public un gars qui n'était pas mon chum». Il m'a fait un grand sourire et m'a demandé si j'accepterais de sortir avec lui s'il m'embrassait, là, devant tout le monde. Juste pour faire durer le plaisir, je lui ai dit que je serais prête à m'afficher avec lui à l'école, seulement quand Do serait de retour en classe, donc aujourd'hui! On s'est textés toute la fin de semaine et il m'a embrassée à l'aréna, devant mon frère. J'étais gênée, mais Félix est super content pour moi. Il adore Jeff. J'ai tellement hâte que Dorothée nous voie ensemble, qu'elle me dise si elle trouve qu'on fait un beau couple!

La voilà qui fait son entrée.

— Salut, chuchoté-je.

— Coucou, mon amie, me répond-elle avec un large sourire.

Je la texte: «Contente de retrouver ma partenaire de vie en vie.» Elle cligne des yeux et mime le mot «idem». Je ne sais pas si elle a dû retourner les vêtements trop coûteux au magasin, mais elle arbore son ancien look. Avec ses cheveux nattés sur le côté, son col roulé noir, ses jeans bleu pâle et ses bottes Sorel, elle se ressemble plus que jamais. Par contre, elle a une attitude décevante, style «miss je me fous que tu me parles, Joe Perron». Joe s'est retourné deux fois et elle feint de ne pas le voir. Mais sa feinte ne fonctionne pas, parce qu'elle rougit. Rouge pompier.

L'avant-midi passe vite. Je jubile à l'idée de m'afficher avec mon beau Jeff.

— Viens, on va dîner à la bibliothèque. On va pouvoir prendre une table dans le fond et jaser, me propose Dorothée en me tirant par le bras.

Dorothée essaie de me convaincre de ne pas manger à la cafétéria pendant qu'on range nos manuels dans nos cases.

Elle sait pourtant que Jeff m'a dit qu'il m'embrasserait ce midi, à l'école, pour officialiser notre relation.

— Oh que non, tu ne vas pas te sauver et tu vas arrêter ça tout de suite, ta petite attitude de « je me fous de Joe », dis-je, la défiant du regard. Franchement, si tu es gênée devant lui, c'est parce qu'il te fait de l'effet. Et tu sais quoi ? Il faudrait être aveugle pour ne pas voir que tu lui plais. Alors, viens, on va manger avec eux, lui ordonné-je.

Mon amie rouspète en silence. Elle n'a pas d'arguments, mais moi, j'en ai un, et un gros !

— As-tu oublié que c'est un midi important pour moi, pas comme les autres…

Elle n'a pas le temps de répondre que Jeff me surprend par-derrière et m'embrasse en me plaquant tout doucement contre ma case. Je n'aurais jamais cru cela possible. Do me regarde, encore une fois écarlate et avec des yeux de poisson. Je sais qu'elle est contente pour moi, mais je n'aurais pas imaginé que ça la gênerait à ce point de me voir embrasser Jeff.

— On va manger, les filles, j'ai faim, lance Joe en nous regardant.

Alors que nous sommes assis tous les quatre à la cafétéria, je perçois le malaise de Dorothée et je vois bien qu'elle tente de parler le moins possible à Joe. Lui, il ne la lâche pas. Pour l'agacer ou simplement pour lui parler, Joe propose à Dorothée de l'aider à rattraper la matière qu'elle a manquée.

— Ça va, Joe, Steph va m'aider. On va étudier ensemble ce soir. Pas vrai, Steph ? déclare Do, embêtée.

— Ça m'étonnerait, parce que Steph m'a promis de venir faire ses devoirs avec moi, dit Jeff avant de m'embrasser dans le cou en roucoulant.

Je me retrouve alors prise entre mon prince charmant et la fille blonde qui fait pitié. Je n'aime pas ça, mais j'ai de la répartie et je m'en tire assez bien.

— Jeff, maintenant qu'on forme officiellement un couple, on va avoir mille occasions d'étudier ensemble le soir, commencé-je sur un ton aguicheur. Je me suis ennuyée de Do comme une maman de son enfant, alors je passerai la soirée avec mon amie.

Je fais rire Jeff, et les deux autres n'ont rien à ajouter.

En arrivant chez nous, Félix saute sur Do et lui fait un immense câlin.

— Tu vois, tout le monde s'est ennuyé de toi, même le frangin.

— Moi aussi, je me suis ennuyée de vous.

Tandis que nous étudions nos leçons, contrairement à d'habitude, je prends le contrôle de la conversation. Il faut absolument que je discute avec Do de ma première fois. Je n'ai jamais couché avec un gars ; enfin, pas jusqu'au bout. C'est ma meilleure amie et c'est un de ses sujets préférés. En plus, ce sera la consécration de son plan (ou presque) si ça arrive.

— Jeff est du type expéditif et, quand il m'embrasse, ça me démange, lui expliqué-je. J'ai vraiment le goût de faire l'amour avec lui. Maintenant que c'est officiel entre nous, disons que ça va de soi.

— Je suis certaine que, pour Jeff, ce n'est pas la première fois, alors fais-lui confiance, il sait ce qu'il fait. T'auras juste à te laisser aller. D'ailleurs, tu ne devrais pas avoir de misère, je vous trouve très à l'aise en public.

— Wow, Do ! Tu te rends compte ? Je ne croyais pas à ton plan le soir du 31 décembre, mes souhaits se réalisent.

J'arrive à peine à croire que je sors avec Jeff. Et je te le dis, avec lui, c'est facile de me laisser aller, tu as tout à fait raison. Rien à voir avec mon chum tout pogné de l'an passé !

— C'est génial. Vraiment cool, le plan fonctionne pour toi, renchérit-elle, le regard fuyant.

— Et Joe ? Vas-tu au moins lui parler demain ? Tu sais que Jeff m'a dit qu'il…

Dorothée m'interrompt.

— Peux-tu me dire quel exercice je dois faire en mathématiques, la prof est super sévère, je veux tout terminer à temps.

Elle change de sujet peu subtilement. Mais je m'exécute et je n'ose plus parler de Joe. Je vois bien que ça la rend mal à l'aise, sans trop savoir pourquoi, d'ailleurs. Je me dis que c'est probablement parce que ça marche pour moi avant elle. Do a toujours ce qu'elle veut en premier et je suppose que ça doit l'embêter. Je ne veux pas gâcher notre soirée. Je suis contente de retrouver mon amie en santé. Et puis, elle constatera par elle-même que Joe s'intéresse à elle, de même qu'elle s'accoutumera à me voir amoureuse.

Même manège le lendemain à la cafétéria. Même histoire le mercredi midi. Do fait tout pour s'éclipser quand Joe veut lui parler. Jeff m'a dit qu'il commence à trouver ça bizarre, parce que, chaque fois que son frère lui adresse la parole, mon amie prétend qu'elle ne se sent pas bien et part sans écouter ce qu'il tente de lui dire. Le jeu du chat et de la souris bat son plein et ça me fait rigoler, parce que Joe est un gars persévérant.

Dorothée avait certainement raison: une fille qui ignore un gars fait en sorte que le gars lui court encore plus après. Jeudi matin, Joe se lève quand elle arrive en classe et lui tire sa chaise en lui lançant un: «Bonjour, princesse.» Elle me texte cinq minutes après: «Steph, je pense que je suis malade, j'ai chaud et j'ai mal au cœur.» Je rigole et je lui dis que c'est l'effet «jumeau Perron». Elle ne semble pas me trouver drôle parce qu'elle se renfrogne et ne me répond pas.

Il y a des jours où je me demande ce qui se passe dans sa tête. Joe se retourne et lui glisse un papier. Dorothée le range dans sa poche et, hésitante, elle se lève et sort de la classe. Voyant son air blême, je considère maintenant l'idée qu'elle soit malade pour de vrai. Zut, je m'en veux déjà de ne pas l'avoir crue.

— Qu'est-ce qu'elle a, ton amie? Sérieux, je vais arrêter de la *cruiser*. Elle n'a pas l'air intéressée, lâche Joe, visiblement surpris de la réaction de Dorothée.

Je suis bouche bée.

— Je ne pense pas que ce soit à cause de toi. Je vais aller voir si elle est OK, balbutié-je en me levant à mon tour.

J'ai juste eu le temps de mettre mon manteau et de sortir de l'école pour la rattraper. On marche d'un pas rapide en direction de sa maison.

— Steph, je suis malade. C'est de pire en pire, m'informe-t-elle, inquiète.

— Comment te sens-tu ? demandé-je, essayant de cerner son malaise.

— Ça tourne. Je vais tomber dans les pommes. J'entends mal. Ma vue se brouille, halète Do, le souffle court.

— OK. Mais le médecin a fait des tests, non ?

— Oui, mais pas pour tout. J'ai autre chose. C'est certain.

Je ne sais pas quoi répondre. Elle accepte que je lui tienne le bras et nous arrivons chez elle en moins de dix minutes. Je suis littéralement démunie devant sa détresse.

— Félix ! Je vais appeler mon frère ! Lui, il va savoir quoi faire.

— Fais ce que tu veux, moi, je vais m'étendre, gémit-elle en se dirigeant vers l'escalier pour ensuite bifurquer vers le salon.

Do n'a pas la force de monter et de se rendre dans sa chambre. La voir choir sur le sofa m'indique qu'elle est faible. Je m'inquiète pour de vrai. Je lui prépare une débarbouillette d'eau froide. C'est le seul truc que je connaisse.

— Steph ?! me réclame-t-elle avec la voix d'une petite fille qui cherche sa maman.

— J'arrive, Do.

Toujours au téléphone avec Félix, je suis déçue qu'il ne puisse pas venir ; il a un examen cet avant-midi.

— Je sens que mon bras s'engourdit, m'informe-t-elle, paniquée.

J'avise mon frère du nouveau symptôme.

— Je vais appeler le 911, lui dis-je après avoir raccroché. Si tu t'engourdis, ce n'est vraiment pas bon signe.

Même si j'ai peur, je suis soulagée de voir les ambulanciers arriver et prendre le relais. Ils posent des questions à Do et sortent leur machine pour prendre sa tension artérielle et écouter son cœur.

— Ton rythme cardiaque diminue. C'est bien, lui dit l'ambulancier.

— Comment ça, diminue ? s'inquiète Dorothée.

— Il était élevé à notre arrivée. Tu es branchée depuis deux minutes et ça se calme déjà, explique-t-il.

— Euh… d'accord, marmonne mon amie, du doute dans la voix.

J'observe la scène sans réagir à quoi que ce soit. J'écoute.

— Es-tu anxieuse ? la questionne l'ambulancier.

— Non, je suis malade, affirme Dorothée.

Le deuxième intervenant observe lui aussi Dorothée et, après une courte pause, lui pose une autre question :

— Qu'est-ce que tu veux dire par « malade » ?

— J'ai vu un médecin récemment, mais il n'a pas trouvé ce que j'ai comme maladie, explique vaguement Do.

— OK. Alors on va t'amener à l'hôpital pour un examen complet, conclut-il après avoir consulté son partenaire.

Je retourne à la cuisine et téléphone à Suzanne pour l'informer que je suis à la maison avec Dorothée et que les ambulanciers sont présentement en train d'installer sa fille sur une civière pour l'emmener à l'hôpital. Suzanne me pose plein de questions auxquelles je ne peux répondre. Je ne sais pas ce qu'elle a, Do… Elle avait pourtant l'air bien, ce matin.

Une fois à destination, nous passons au triage rapidement et l'ambulancier m'informe ensuite que nous allons devoir attendre dans la salle et libérer la civière pour qu'ils puissent repartir. Sans repères, je compte les minutes qui passent, assise sur une chaise de l'urgence avec ma meilleure amie, à lui tenir la main. Je texte Jeff et Félix pour les rassurer. Jeff me questionne. Et, deux minutes plus tard, c'est Joe qui se manifeste. Il veut que je le tienne informé de la situation. Il se sent probablement aussi mal que moi de ne pas avoir cru Dorothée quand elle lui disait qu'elle n'était pas bien. Je ne m'attendais certainement pas à tant d'action en ce jeudi matin.

— Dorothée !

Suzanne se précipite vers nous, s'assoit et tapote le visage de sa fille avant de la serrer dans ses bras.

— Comment tu te sens ?

— Je me sens déjà mieux. C'est peut-être les deux doses d'analgésiques que l'infirmière m'a données au triage, un peu plus tôt, explique mon amie, plus calme.

Le nom de Dorothée est tout de suite appelé. Suzanne se lève pour la suivre.

— Non. Je veux y aller toute seule.

À peine cinq minutes plus tard, le médecin demande à Suzanne d'aller les rejoindre. J'en profite pour m'éclipser et appeler mon copain ; c'est l'heure de la pause, à l'école.

— J'avais hâte que tu me téléphones. Tu es à l'hôpital ? m'interroge Jeff d'emblée, visiblement inquiet.

— Oui, mais ça va. C'est ton frère que j'entends s'énerver derrière ? lui demandé-je.

— Évidemment, il se pose beaucoup de questions. Tu sais que ton amie est bizarre ? Elle veut mon frère, puis se fout de lui. Elle lui saute dessus dans un party et fait ensuite comme si de rien n'était. Elle s'intéresse à lui ou pas ? veut savoir mon chum.

J'aimerais mieux qu'il se préoccupe de l'état de santé de mon amie, mais, en même temps, sa question est justifiée. Je pense que ça fait quelque temps qu'il se retient pour ne pas aborder le sujet aussi directement, c'est pourquoi je lui réponds, même si je suis un peu agacée par son ton et son léger manque de délicatesse.

— Oui, je crois. Va savoir pourquoi elle l'ignore, ça se voit qu'elle l'aime. Et puis, elle parle de lui depuis super longtemps ; tu le sais, ça. Tu peux rassurer ton jumeau, elle l'aime bien.

— Alors, elle a un sacré problème ! Ils devraient l'évaluer en psychiatrie. C'est dans sa tête et pas dans son corps que ça ne tourne pas rond, intervient-il.

— Je raccroche, je vais aller prendre de ses nouvelles, l'informé-je sèchement, insultée par son commentaire.

Même si son questionnement est justifiable, j'en suis irritée. C'est vrai que l'attitude de mon amie ne tient pas la route, mais de là à la traiter de malade mentale, il y a des limites ! Je suis certaine qu'il y a une explication logique. De retour à l'urgence, je cherche Suzanne et je m'arrête quand je l'entends parler. Gênée, je me poste juste de l'autre côté du rideau. J'écoute.

— Ma fille est malade depuis presque trois semaines. Elle a consulté un médecin et, comme son bilan sanguin n'indique rien, il a seulement dit qu'elle était un peu déprimée.

— Maman ! rétorque Dorothée sèchement, offusquée. Je ne suis pas déprimée. C'est mon système nerveux qui est détraqué. Demande au docteur toi-même.

— Je viens d'expliquer à votre fille qu'elle a fait une attaque de panique, explique le médecin.

— Mais c'est impossible, réplique Dorothée.

— Tu sais, ça peut arriver à tout le monde. Il serait bon que tu revoies ton médecin pour qu'il fasse un suivi, surtout si tu continues à être anxieuse. Ça peut être un signe de dépression. Ou une réaction à un stress intense vécu ces derniers temps. Des fois, c'est de cette manière que le corps réagit, explique le docteur avant de conseiller à tout le monde de retourner à la maison, de relaxer et de reprendre ses activités normales dès le lendemain.

Quel stress intense ? Dépressive ? Elle ne m'a jamais mentionné cela. Je fais comme si je n'avais pas entendu la conversation et je décide de questionner Dorothée sur le chemin du retour. Suzanne me reconduit à la maison et il règne dans l'auto un silence des plus inconfortables. Je parle parce que je ne supporte pas l'ambiance.

— Alors ? Est-ce que tu sais ce que tu as ? As-tu des médicaments ? Des antibiotiques ? demandé-je.

— Imagine-toi donc qu'il paraît que c'est une attaque de panique. J'ai des anxiolytiques à prendre pour les deux prochains jours, et en cas de besoin dans les prochaines semaines, m'informe Do sur un ton condescendant.

Je ne comprends pas. C'est vrai qu'elle stresse inutilement depuis le party de Saint-Valentin et que la mention de la demande d'admission au cégep lui donne de l'urticaire. Je suis aussi consciente qu'elle a de la difficulté à communiquer avec ses parents, mais de là à paniquer pour ça… Je réfléchis et Suzanne ajoute :

— Le docteur t'a aussi conseillé de rencontrer une travailleuse sociale ou une psychologue.

— Rencontrer un inconnu, c'est hors de question ! rétorque Do à sa mère avec son ton massacrant.

Comme si elle voulait se reprendre, elle ajoute immédiatement :

— Je vais me confier à ma meilleure amie.

Assise sur le siège arrière, je dis merci à Suzanne avant de descendre de l'auto. Je n'ai pas cru bon de retourner à l'école pour la dernière période.

Je suis contente d'entendre Félix rentrer. C'est avec lui que je veux discuter, m'éclaircir les idées. Il veut aussi savoir ce qui arrive.

— Alors? Comment ça s'est passé à l'hôpital? me demande-t-il.

— C'était bizarre. L'urgentologue a diagnostiqué une attaque de panique chez Dorothée. Et je les ai entendus parler: Suzanne mentionnait que, selon le médecin qu'elle a consulté il y a deux semaines, sa fille a un comportement dépressif. Dorothée ne m'a jamais dit ça! m'étonné-je, alors que je croyais que ma meilleure amie me disait tout, tout, tout. En plus, Do ne veut rien savoir de parler à une travailleuse sociale, encore moins à une psychologue, alors elle a affirmé à sa mère qu'elle allait se confier à moi. Mais je la trouve pénible ces derniers temps. Je ne sais pas quoi faire, avoué-je à mon frère.

— En effet, à la manière dont tu parles, je vois que tu as l'air dépassée par les événements. Ton amie a un nouveau look, elle a une drôle d'attitude, elle change. Peut-être que vous n'êtes plus rendues à la même place ? suggère Félix. C'est quand même normal d'être un peu dérangeante à l'adolescence, de se chercher, précise-t-il.

Je n'ai pas envie de changer de meilleure amie. Je refuse de voir plus loin sans d'abord éclaircir les événements de la journée. Je réitère mon incompréhension.

— Quand même, une ambulance pour une crise d'angoisse, intense comme ça, il me semble que ça n'arrive pas souvent à une fille de dix-sept ans. C'est un truc de vieux, non ?

— Pas tellement, ça peut arriver à tout le monde, affirme mon frère en me regardant, l'air désolé de ne pas avoir une meilleure explication.

— Tu as sans doute raison, marmonné-je, loin d'être convaincue.

Après le souper, je décide de téléphoner chez Dorothée, mais Suzanne me dit qu'à son arrivée à la maison elle est tombée dans un sommeil profond qui va sûrement durer jusqu'au lendemain. J'aimerais en savoir davantage sur ce que vit mon amie, alors je saisis l'occasion d'avoir Suzanne au téléphone.

— Dorothée m'a dit que ce n'est pas facile à la maison. Je trouve aussi des fois que ce n'est pas facile d'être son amie. Elle est distante avec moi depuis quelque temps. On dirait qu'elle a changé depuis son gros rhume, que je mentionne dans l'espoir que Suzanne me parle des symptômes dépressifs de Do.

— Essaie de lui en glisser un mot, je pense qu'elle t'écoutera plus que moi. Elle m'a dit qu'elle vivait des trucs difficiles. Sais-tu de quoi il est question ? me demande-t-elle d'un ton inquiet.

— Non, pas exactement, mais j'ai ma petite idée, réponds-je, pensive, avant de lui dire au revoir.

Ça y est. Plus j'y pense, plus ça devient clair. Toute cette histoire de Dorothée qui est malade sans maladie, qui angoisse pour je-ne-sais-quoi, qui n'aime plus se pavaner à l'école, qui change soudain d'attitude avec Joe, c'est depuis le party de Saint-Valentin. Ça concorde parfaitement. Je suis convaincue que mon instinct ne me trompe pas et que j'ai raison de croire que ma meilleure amie me cache quelque chose. Tant pis si elle ne veut pas me parler, je vais questionner le principal intéressé : Joe.

CHAPITRE 9
UN MAL POUR UN BIEN

Dorothée

Ai-je rêvé ou suis-je vraiment allée à l'hôpital, hier? Le souvenir de mon retour de l'école, de mon transport à l'hôpital, de l'air stupéfait de ma mère qui écoutait le médecin de l'urgence; tout cela est flou. Je suis un brouillon.

Je dois vite boire un café pour m'éclaircir les idées.

— Dorothée, tu vas aller à l'école parce que tu vas bien. Tu n'es pas malade. Tu as pris du retard, donc tu ne dois pas manquer une seule seconde de plus, m'apostrophe ma mère à mon entrée dans la cuisine, avant que je ne dise quoi que ce soit.

Je dois avoir la tête d'une fille qui s'interroge. Et, avec son ordre matinal, ma mère me confirme que mon semblant de cauchemar est bel et bien réalité. Juste d'y penser, j'ai le vertige.

— Tu devrais prendre ce que le médecin t'a prescrit, ça va diminuer ton anxiété et, tu vas voir, la journée va passer sans que tu t'en rendes compte.

Je ne dis rien. Mais l'ombre de panique qui plane sur mon visage motive le conseil de maman. Je n'ai pas la force de m'obstiner avec elle, encore moins de lui sortir un argument valable – surtout face à son regard d'avocate qui détient la vérité.

Je vais obéir à maman. Je l'ai vu dans ses yeux et sur les plis de son front, hier, lorsque le médecin lui a parlé : elle est déçue de moi. Encore ce matin, elle me regarde siroter mon café avec son air qui clame : « Qu'est-ce que je vais faire d'elle ? » Je me dépêche de déjeuner en ordonnant à mon cerveau de se réveiller. J'ai encore de la misère à croire qu'une attaque de panique peut donner l'impression qu'on va vomir, s'évanouir et même mourir, et j'ai encore plus de difficulté à me persuader que c'est Joe qui me met dans cet état-là. Quelque chose d'autre doit clocher avec moi, mais quoi ?

J'avale une petite pilule que je souhaite miraculeuse.

Ma mère me donne un gros bisou sur le front avant que je parte pour l'école. Elle travaille de la maison aujourd'hui et tente de me rassurer en me disant de l'appeler s'il y a quoi que ce soit.

En marchant, je mets la main dans la poche de mes jeans et je touche ce petit morceau de papier qui m'a empoisonné l'esprit hier matin : le mot de Joe. Je me décide à le lire, comme ça je saurai à quoi m'en tenir en arrivant à l'école.

— Do ! Attends-moi !

Zut. C'est la voix de Joe et ce dernier court pour me rattraper. Je l'ignore.

— Dorothée ! Je cours vite, insiste-t-il, sa voix se rapprochant rapidement.

J'accélère le pas à mon tour.

Je ne sais pas s'il rigole ou s'il est sérieux dans sa poursuite, alors il y a urgence à ce que je prenne connaissance du petit bout de papier qui me brûle les doigts. J'ai juste le temps de lire les cinq premiers mots, « Tu es belle ce matin... », que la supposée source de mes angoisses se trouve à mes côtés. Je continue de marcher, lentement. Joe se poste devant moi et m'emboîte le pas, mais à reculons. Face à lui, je ne peux m'empêcher de sourire.

— Tu es belle ce matin, me dit Joe, ses yeux dans les miens.

— Tu te répètes, lui réponds-je en soutenant son regard.

— Madame a lu mon mot ?

Pourquoi il me sourit comme ça ?

— Juste la première phrase, tu es arrivé avant que je ne puisse lire la suite. Dis-moi donc ce qui était écrit.

— Non. Parce que je me répéterais ! lance-t-il joyeusement avant de prendre un air plus grave. Je suis content de voir que tu vas bien. On se posait des questions, hier, après… ton malaise, me confie-t-il doucement.

Je ne sais pas comment réagir. Est-ce qu'il sait pour la crise de panique ou seulement pour mon aller-retour à l'hôpital ? C'est certain que Steph a parlé à Jeff, mais que lui a-t-elle raconté exactement ? Et puis pourquoi, juste ciel, chaque fois que je suis en compagnie de ce gars-là, je n'arrive pas à décoder ses intentions ? J'ai pourtant un bon instinct, habituellement.

Pas le temps de réfléchir, il m'arrête en me prenant par les épaules. Mon Dieu, va-t-il m'embrasser ?

— Dorothée, il faut que je te parle.

Je ne veux pas lui obéir, mais son geste me cloue les pieds au sol et je stoppe.

— Pour de vrai ? Il fait froid, essayé-je de me défendre pour me sauver de la conversation. Ça ne peut pas attendre ? Et puis, je ne peux pas être en retard, j'ai déjà manqué trop de jours d'école.

— Il reste dix minutes avant le début des cours, me fait-il remarquer, ses yeux toujours rivés aux miens. Viens, on va entrer dans la bibliothèque, au chaud, et puis on sera en face de l'école.

— OK. Mais grouille, parce que ton allure de monsieur confidences me fait un peu flipper.

Je me surprends. On dirait que j'ai retrouvé mon aplomb. Je crois que j'aime les petites pilules anxioly… On se fout du nom, parce que je suis tout à coup calme à l'intérieur. On entre dans la bibliothèque.

— Hier soir, Steph est venue chez moi, commence-t-il à voix basse.

Oh non. Stéphanie a tout dit. Quelle honte ! Ça y est, je me paye un malaise de classe supérieure. Ne sachant pas quoi répondre, je baisse les yeux.

— Je pensais qu'elle venait voir mon frère, chuchote-t-il, mais c'est à moi qu'elle voulait parler. Et elle m'a questionné avec intensité.

Il prend une pause, puis continue :

— Stéphanie est presque apeurante quand elle veut savoir quelque chose.

— Qu'est-ce qu'elle posait comme questions ? C'est quoi, son problème ? Elle t'a raconté pour hier après-midi ?

— Pour ton absence d'hier, elle a dit que tu étais OK, c'est tout.

Affichant de nouveau son air sérieux, Joe reprend son histoire.

— Elle m'a demandé ce que j'avais bien pu te faire le soir du party de Saint-Valentin pour que tout à coup tu…

Il hésite.

— Je quoi ?

— Eh bien, il paraît que tu t'intéressais pas mal à moi avant le 14 février, se décide-t-il enfin à me dire, ce qui fait jaillir la gêne en moi. Mais, depuis, tu fais comme si de rien n'était quand elle te parle de moi, tu n'arrêtes pas de parler de la danse que tu as faite sur la table du salon, et puis tu capotes parce que tu es certaine que je pense que tu es…

Il s'arrête encore. Cette fois, je continue sa phrase, en faisant bien attention à articuler chaque mot tout en gardant la voix au volume « bibliothèque ».

— Que tu penses que je suis une salope. Et pas parce que j'ai dansé un peu osé, mais à cause de ce qui s'est passé avec ton frère. Voilà pourquoi je capote, expliqué-je, la voix brisée, la gorge nouée.

— Do, on était soûls, soupire-t-il. Et mon frère ne m'en a même pas reparlé… il m'a juste dit qu'il te trouvait cool, mais qu'il aimait beaucoup plus ton amie. En plus…

— Je n'aime pas qu'on parle de ça, l'interromps-je, j'ai des bouffées de chaleur et je n'ai pas besoin de miroir pour savoir que je suis rouge tomate.

— Arrête, Do. On s'en fout. C'est vrai que tu capotes pour rien, affirme-t-il avec une telle sincérité qu'il gagne aussitôt ma confiance. Moi, la seule chose à laquelle je pense depuis cette fête-là, c'est à t'embrasser encore.

— Oh.

— Mais ce n'est pas ça que je veux te dire, enfin oui, mais c'est surtout qu'hier, Jeff a répondu à la question de Steph… Il s'est exclamé : « Quoi, elle ne t'a pas raconté ce qui s'est passé après que tu es partie ? »

Ça ne pouvait pas être un beau moment.

— Quoi ?!? Qu'est-ce qu'il lui a dit ? Mot par mot !

— Il a précisé que c'était avant qu'ils se voient, elle et lui, qu'on a fait des trucs parce qu'on était complètement pétés, mais qu'il n'avait pas couché avec toi. Mais Steph n'avait pas l'air d'allumer, alors il a ajouté que, de toute manière, ce n'était pas un vrai trip à trois… que ça paraissait que tu me voulais, moi, m'explique Joe, visiblement désolé.

— Je n'en reviens pas ! Il n'a pas de tact du tout, ton frère ! hurlé-je. Je vais le tuer, et ma meilleure amie va m'assassiner ! C'est vraiment génial…

— Écoute-moi, dit Joe en prenant mon visage entre ses mains, découvrant ainsi mes yeux qui s'inondent, mon frère m'a dit qu'il a reparlé à Steph dans la soirée. Ils ont jasé au moins une heure au téléphone et je crois bien que tout est cool entre eux. Après tout, ils sortent ensemble depuis genre deux minutes, alors on s'en fout, m'assure-t-il. Et tu m'as, moi. Je ne te laisserai pas tomber.

— Là, tu es trop intense. Pourquoi tu es gentil avec moi ? Je t'ignore depuis le party, lui rappelé-je. En tout cas, le cours commence dans une minute. Il faut courir. Et puis, Joe, tu n'as pas besoin d'être solidaire de moi. Je mérite d'être sans amis.

— Allez, Dorothée, ne te juge pas si durement. Il faut que tu travailles ta simplicité, plaisante-t-il en m'emboîtant le pas.

On arrive quand la cloche sonne. Ce matin, le cours de mathématiques et la leçon d'algèbre vont être un cauchemar. Je le sens. Je le sais. En ce moment, je donnerais n'importe quoi pour être dans mon cours de français, sans jumeaux, sans Stéphanie. Seule. Mais je dois y aller et Joe m'oblige à me hâter pour qu'on ne se fasse pas coller un retard. C'est donc pressée par le début du cours que je m'assois sans oser regarder Steph. En proie à une insupportable culpabilité, après dix minutes, je craque. Je dois dire quelque chose, sinon mon cœur va éclater. Je cherche mon cellulaire dans mon sac. Je trouve mes pilules magiques et décide d'en prendre une autre. La dernière chose que je veux, c'est de retourner en catastrophe chez moi et d'atteindre le comble de l'humiliation en faisant face à ma mère. Je texte Steph. « Excuse-moi de t'avoir menti à propos de ce qui s'est passé le soir de la Saint-Valentin. Je m'en veux à mort. Joe m'a raconté. C'est quand même bien que tout soit OK avec Jeff. Je suis vraiment désolée, tu es ma meilleure amie et j'aurais dû te le dire… »

Elle lit mon message, se retourne et me regarde avec des yeux méchants que je ne lui connaissais pas. Sa réponse me laisse bouche bée : « Pour une fois, tu aurais pu penser avant d'agir. Tu es égoïste, menteuse et tu me fais pitié, à force de toujours faire des conneries pour attirer l'attention. Tu t'arranges pour que les gens t'aiment, eh bien, ça ne marche pas avec moi. Une amie comme toi, je n'en veux pas. »

Une bombe. J'implose.

Je m'y attendais sans croire que ça arriverait. Je suis naïve. Nulle. Je veux disparaître, mais c'est impossible. Je n'écoute pas. Je repense à ce que Joe m'a dit ce matin. À ce qu'il m'a dit de beau. Je dois me concentrer sur le bon côté des choses pour ne pas pleurer. Je cherche le mot de Joe, que je trouve finalement, chiffonné dans ma poche de jeans. « Tu es belle ce matin. Arrête de te sauver de moi. Tout ce que je veux, c'est être proche de toi. Appelle-moi. » Et j'ai son numéro de téléphone. C'est ma bouée. Je le texte : « Steph est vraiment fru. »

Content de voir que j'ai fini de lire son mot, il me répète qu'il ne me laissera pas tomber et me jure que Steph va se défâcher vite.

J'espère qu'il a raison.

Steph est assise à la cafétéria avec Jeff et Joe. Voyant que je ne sais pas où me mettre, Joe se lève et me demande de le suivre pour la deuxième fois aujourd'hui. Je n'ai pas d'autre option et, après tout, il m'inspire confiance.

— On va manger au gymnase, propose-t-il, il n'y a jamais personne dans les estrades le mardi et le jeudi.

— Merci, Joe, marmonné-je, marchant à ses côtés, les yeux rivés au sol.

— Arrête d'être mal à l'aise, Do. On repart à zéro, OK ?

— OK. Alors on ne s'est jamais embrassés et je n'étais pas au party. On n'en parle plus et je t'interdis d'y penser, réponds-je, souriante, voyant une minilumière au bout du tunnel.

— Tu t'en fais pour rien, réitère-t-il, tu rougis quand je te parle (a-t-il vraiment besoin de me le faire remarquer ?), et puis, ça paraît que tu t'intéresses à moi. Et moi, je veux t'embrasser encore.

— Ouf, tu es assez direct, commenté-je. Tu as raison, mais, avec tout ce qui m'est arrivé hier, j'ai besoin de calme et de trucs pas compliqués, alors c'est non pour l'instant. Pas de bisous. J'aime ta présence, mais je veux juste être ton amie pour le moment, je crois. Tu viens de me dire qu'on repart à zéro, vas-tu tenir parole ou pas ?

C'est une proposition qui me semble honnête. S'il s'intéresse vraiment à moi, il acceptera sans rechigner. S'il veut juste me baiser, il refusera. De mon côté, je vais tout faire pour repartir sur de nouvelles bases avec lui, car je souhaite vraiment avoir une deuxième chance.

— Je veux bien essayer, mais c'est juste parce que tu m'intéresses. Si tu veux bien être mon amie, est-ce que tu accepterais de faire tes devoirs avec moi et de m'aider ? Disons à la bibliothèque, un endroit neutre…

— Bien sûr, réponds-je, soulagée. Mais pas ce soir. Je dois rentrer directement chez moi. Mais lundi, oui, lui dis-je en souriant, le regardant enfin dans les yeux avant de prendre une bouchée de mon sandwich.

Je pleure. Je marche seule en direction de la maison. À un rythme lent. Mes pieds traînent le poids de mon existence. C'est lourd. Juste mon âme doit peser soixante-dix kilos.

Je ne suis jamais entrée dans une église, mais tout semble indiquer que c'est le moment pour moi d'aller me confesser. Je crois Joe quand il dit qu'on va repartir à zéro, j'ai vu la sincérité dans ses yeux. Je suis contente, c'est certain, mais Joe, ce n'est pas Steph, il ne la remplacera pas. En plus, je n'ai pas fait de demande d'admission au cégep. Je suis nulle. J'ai le don de tout gâcher et de surprendre tout le monde avec mes échecs, parce que, de loin, j'ai l'air d'une fille heureuse. Et, en théorie, j'ai tout pour réussir. Mais la réalité, c'est que je suis pathétique.

Je charrie ma carcasse jusqu'au domaine familial.

— Salut, Dorothée, me lance mon père.

Sa voix provient du salon. En quel honneur est-il à la maison ? C'est fatigant, d'avoir un garage immense. Il n'y a jamais d'auto à l'extérieur, je n'ai donc aucun indice que mes parents sont là.

— Papa ? Tu n'étais pas en voyage encore pour une semaine ?

— Oui, admet-il, mais j'ai décidé de revenir plus tôt et de travailler de la maison. Ça va me faire deux semaines complètes à passer avec les deux femmes de ma vie.

— Cool, répliqué-je, réellement heureuse et rassurée de le voir. Où elle est, maman ?

— Partie chercher de la pizza, m'annonce mon père.

— Cool.

— Cool…, répète-t-il pour m'imiter. Ce mot-là me fait rire, parce que je pensais que c'était un mot favorable, pour exprimer de la joie… mais tu as un air triste. Qu'est-ce qui se passe, ma belle fille d'amour ?

Mon père a ce je-ne-sais-quoi que ma mère n'a pas. Quand il lit au fond de moi, j'ai envie de lui parler. Quand ma mère me devine, je veux lui arracher la tête.

— Je suis prêt pour un apéro, mon vol était long, déclare-t-il pour justifier sa soif.Veux-tu quelque chose ? me demande mon père en se dirigeant vers la cuisine.

Oui. J'ai envie de boire un verre. Mais c'est gênant, parce que c'est la première fois que mon père m'en offre un, avant de souper, un soir de semaine. Normalement, c'est réservé aux grandes occasions.

— Oui. J'aimerais bien une bière, mais, dis-moi, est-ce que j'ai oublié un événement qui me donnerait droit à une consommation aujourd'hui ?

— Non. En fait, oui, se reprend-il. C'est toi, mon occasion spéciale, clame mon papa, fier de sa réplique.

Il se dirige vers moi et me serre dans ses bras. Très fort. Trop. Je me sens comme un bébé qui n'a aucune raison de se retenir de pleurer.

— Je me suis tellement inquiété pour toi, murmure mon père. Je ne sais pas ce qui ne va pas dans ta vie, mais je veux te dire que je suis là pour toi. J'ignore quoi faire, mais je suis là.

Ça y est, je braille. Pour aucune raison précise et pour toutes les raisons du monde. Mon père me donne une boîte de papiers-mouchoirs d'une main, me tend une bière de l'autre, débouche sa bouteille et la cogne contre la mienne.

— À ta santé, dit-il, la voix semi-brisée.

— Papa, tu pleures ? le questionné-je, étonnée, touchée.

— Bof… On a chacun notre bière, mais on va partager les mouchoirs, blague mon père.

— Tu pleures à cause de moi ?

— Ben non, Dorothée, je pleure parce que je suis exténué de mon voyage, parce que je suis sensible à ce que vit ma fille, qui me rappelle mon adolescence… Et tu sais quoi ?

Je ne voudrais jamais retourner à mes dix-sept ans. Ç'a été pour moi, contrairement à ta mère, la période la plus difficile, avoue-t-il, le regard ailleurs.

— Je ne savais pas, dis-je, aussitôt perdue dans mes pensées, imaginant à quoi ressemblait mon père à mon âge, me questionnant sur ce qui jadis pouvait bien le rendre triste.

Papa s'assoit à table. Moi, sur le comptoir de la cuisine. Environ deux mètres nous séparent, mais je me sens si proche de lui. Je ne me doutais pas qu'il n'avait pas aimé son passage à l'âge adulte. Savoir cela me donne un élan pour me confier.

— Papa, je suis mélangée. Stéphanie est fâchée contre moi. Je n'ai pas été correcte avec elle. Je l'ai blessée. Elle a toujours été là pour moi quand ça n'allait pas et moi, je lui ai joué dans le dos. Je me sens tellement coupable, réussis-je à articuler à haute voix pour la première fois.

— Dorothée, c'est normal de se chicaner avec ses amies, me rassure mon père. Je ne te demanderai pas ce qui est arrivé, parce que je pense que le meilleur moyen de rétablir la situation, c'est d'attendre que les choses se tassent et, ensuite, de lui demander pardon, me conseille-t-il, certain de ce qu'il avance. Vous êtes amies depuis longtemps, ça compte.

— Ouais... Mais, à part Steph, je n'ai pas d'amie.

Je recommence à pleurer et, le voyant qui ne répond rien, je décide d'imiter mon père et de prendre une grosse gorgée de ma bière.

— Tu es certaine que tu n'as personne ? Ça m'étonne, prononce-t-il, laissant place à un silence chaleureux qui m'incite à continuer la discussion.

— En fait, il y a Joe, un des jumeaux qui habitent au coin de la rue. Il sait que Steph ne me parle plus et il est gentil avec moi. Il essaie fort, disons…

Mon père sourit.

— Oh ! Il te court après ! s'exclame-t-il, curieux comme toujours.

— Oui… mais non. Je lui ai dit que je voulais juste être son amie. Mais, dans le fond, je l'aime bien, soupiré-je. Tu vois que je suis une girouette et que je prends mes décisions comme on joue à la roulette russe. Je fais le contraire de ce que je voudrais. Même moi, je n'arrive pas à me suivre…, soufflé-je, baissant la tête, reniflant dans ma manche.

— Je vais faire comme ta mère et me répéter, rigole-t-il. Le temps, Dorothée. Le temps arrange souvent les choses. Commence par être son amie. Tu n'as pas tort là-dessus. C'est bien de prendre son temps avec un garçon.

— Ouais…, soupiré-je, adhérant à ses propos sans pour autant être convaincue.

— Et puis, ta santé ? me demande-t-il, plus sérieux. Ta mère m'a raconté ta visite à l'urgence.

— Ouf… je ne sais pas quoi dire. C'est un peu n'importe quoi. Mais… je dois avouer que j'ai pris les médicaments aujourd'hui et que j'étais calme… En tout cas, je suis restée à l'école toute la journée… c'est déjà un début.

— L'anxiété, c'est un comportement irrationnel et ça peut être très souffrant, m'indique-t-il avec le ton d'un expert en la matière. Il ne faut pas prendre cela à la légère, tu dois en parler si ça continue. Peux-tu me promettre de me téléphoner si tu te sens mal une autre fois ?

— Oui… mais qu'est-ce que tu en sais ? le questionné-je pour vérifier s'il s'y connaît vraiment ou s'il a, tout comme moi, simplement googlé le mot « anxiété ».

— Mon frère, ton oncle Arthur, est un anxieux chronique, commence-t-il avant d'hésiter, comme s'il n'était pas certain de vouloir aborder ce sujet avec moi. Il dit que juste le fait d'avouer à quelqu'un de confiance qu'on se sent mal, ça fait du bien, beaucoup de bien. Même texter son papa quand ça se produit, ça peut aider à se calmer.

Je ne savais pas. Mon oncle Arthur semble pourtant bien au-dessus de ses affaires. Devant mon air surpris, mon père poursuit ses explications.

— Il a en particulier de la difficulté à gérer les fêtes, les journées spéciales. Le jour de la Saint-Valentin, ta mère est allée dîner avec lui, car elle sait que c'est une fête qui fait vivre à Arthur beaucoup d'émotions; trop, je dirais, m'explique papa, qui, de toute évidence, parle d'un sujet qui le trouble, qui le touche, ce qui me rend perplexe.

Je reste silencieuse, les questions fusent dans ma tête. J'ai le sentiment que mon père vient d'effleurer la pointe de l'iceberg, qu'en dessous de l'anxiété de mon oncle se cachent des problèmes plus sérieux.

J'entends la porte, alors je n'ai pas le temps d'articuler mon désir de comprendre. J'aurais pourtant bien aimé avoir plus d'information, mais ma mère arrive avec une grosse pizza, des frites et de la liqueur. Et d'un, elle n'aime pas me voir assise sur le comptoir de la cuisine, et de deux, elle est contre le fait de consommer de l'alcool avant d'avoir atteint l'âge légal, et ce, même sous supervision parentale. J'ai peur de sa réaction; je regarde mon père, les yeux écarquillés.

— Ça va aller, m'indique-t-il, me rappelant aussitôt qu'il est tout autant un parent que ma mère.

— Excellente idée ! J'ai aussi besoin d'un bon apéro, déclare maman, l'humeur joyeuse. Chéri, irais-tu me chercher une bouteille de rouge et me servirais-tu un verre ? demande ma mère à mon père, qui se lève et se dirige vers le cellier.

Je me retrouve seule sur mon île. Je veux dire assise sur l'îlot au centre de la cuisine. J'ai l'impression que ma mère doit traverser un océan pour se rendre jusqu'à moi. En vérité, elle fait deux pas.

— Dorothée, ma belle, comment a été ta journée ? s'informe-t-elle.

— OK. C'est OK, maman, la rassuré-je. J'ai jasé avec papa, alors je n'ai pas envie de me confier deux fois. Correct pour toi ?

— Oui. C'est juste que je suis inquiète. Tu sais, moi aussi, j'angoisse par moments, m'avoue-t-elle à son tour en soupirant.

Je me demande pourquoi elle ne m'a rien dit de tel, hier, à mon retour de l'hôpital. Ou avant. On dirait que le sujet de l'anxiété fait mal juste à être abordé…

Mon père refait surface. L'ambiance se normalise. C'est même un souper agréable. Mon père a toujours un paquet d'histoires à raconter quand il revient de voyage. Et il a toujours de petits cadeaux. Il arrive du Maroc, et je suis surprise de voir que mon présent, c'est un livre… avec rien d'écrit dedans. Il y a quelques mots indéchiffrables au haut et au bas des pages… Mon père me regarde et me dit tout bonnement :

— C'est ton nouvel ami. Tu pourras lui raconter ce que tu veux.

Je souris de toutes mes dents, touchée par l'attention.

Pour la première fois depuis longtemps, je mange et je ris à la table en écoutant mes parents. Si ma mère et mon oncle ont eux aussi souffert au moins une fois d'anxiété dans leur vie, peut-être que je suis normale, après tout. De penser que je suis une adolescente comme les autres – moi qui suis convaincue que j'appartiens à une autre catégorie d'humains – me réconforte.

Ce soir, j'ai écrit une seule phrase sur la première page de mon cahier marocain : *Faites que le temps arrange les choses, parce que je suis sincèrement désolée du mal que je fais autour de moi. Amen. Inch'Allah. Tralala.*

Je me contente d'aller nonchalamment à l'école tous les jours. Ça fait plaisir à tout le monde et puis on me fout la paix.

Je porte presque toujours les mêmes vêtements. J'ai adopté la mode leggings et coton ouaté long. Même que Joe m'a prêté un de ses chandails à capuchon préférés. Il me dit que c'est pour que je ne me sente pas seule les soirs où il ne peut pas étudier avec moi après l'école. Il a des entraînements de hockey deux fois par semaine. Je ne parle pas à Steph, parce qu'elle m'ignore. Mais Joe est réellement devenu un ami. Mon meilleur ami, pour ne pas dire le seul que j'ai. Alors ce n'est pas une option pour moi d'aller plus loin avec lui. Oui, je pourrais avoir un chum, mais je pourrais aussi perdre mon seul ami.

On a établi notre quartier général dans la bibliothèque, tout au fond, dans le coin des encyclopédies, où il y a des tables pour travailler en équipe. Loin des regards, on s'assoit et on relaxe.

Un jour, avant d'y entrer, Joe m'a attirée à l'arrière du bâtiment. Sentant mes jambes se défiler lorsqu'il s'est plaqué contre moi sur le mur, je suis restée estomaquée quand il a sorti un joint et que j'ai compris qu'il se collait pour bloquer le vent et l'allumer. Ne sachant ni quoi faire ni quoi dire, j'ai fumé avec lui. Au début, je riais pour rien, mais ça n'a pas pris de temps que j'ai découvert que ça me faisait le même effet que les pilules du docteur. Et, puisque je n'avais pas de renouvellement pour l'ordonnance et que je ne voulais pas demander à ma mère de revoir le médecin, eh bien, j'ai adopté la petite fumette en cachette. Fumer des joints, ça coûte moins cher que de magasiner ; je ne demande presque pas d'argent à ma mère. Ça fait que tout le monde est content. Je suis détendue. C'est ce qui compte.

Chaque moment passé à la bibliothèque ressemble aux autres. Joe fait ses devoirs et je réponds à toutes ses questions. Il m'a baptisée « la tronche aux yeux turquoise », parce que je n'étudie pas vraiment. Moi, je l'appelle le poète. Il n'arrête pas de composer de petits mots. J'ai d'ailleurs gardé tous les papiers qu'il me remet en classe. Il dit que le papier, c'est plus romantique et durable que les messages texte. Je le trouve ridicule, mais, en même temps, je découvre que c'est un gars sensible. En fait, il n'est pas du tout comme je l'avais imaginé. D'abord convaincue que Joe était un grand sportif, je suis restée surprise quand il m'a dit qu'il jouait au hockey pour le plaisir seulement, que c'est plutôt son frère qui est axé sur le sport de compétition. Ça me rassure de voir qu'il n'y a pas juste moi qui suis différente de l'image que les gens se font.

Aujourd'hui, Joe est charmant comme d'habitude, et moi, je suis mielleuse à son égard. J'ai le sentiment que je ne pourrai pas me retenir encore longtemps avant de me rapprocher physiquement de lui. Et mon instinct – ou peut-être les gestes doux et récurrents de Joe envers moi – me dit que Joe tentera sa chance dès qu'il en aura l'occasion.

— Do, comment tu réussis à passer tes examens si tu fais juste quinze minutes de devoirs chaque jour ? Moi, j'en fais minimum une heure et un peu le week-end, et j'ai des notes moyennes.

— Je ne sais vraiment pas, Joe, réponds-je sincèrement, j'ai toujours eu de la facilité à l'école. J'écoute en classe au lieu d'écrire de petits mots ! lui fais-je remarquer, l'air taquin.

— Tu sais que tu me fais beaucoup rire, dit-il en penchant la tête par en avant et en avançant son corps au-dessus de la table, se rapprochant de moi, assise en face de lui. Tu devrais t'inscrire à l'École nationale de l'humour au lieu d'aller au cégep.

— Il faut que je t'avoue quelque chose, Joe, mais jure-moi de ne le dire à personne.

Je gage qu'il pense que je vais lui demander de m'embrasser, on dirait que c'est ce qu'il souhaite quand il s'avance encore plus vers moi.

— Juré, confirme-t-il.

— Je n'ai pas fait de demande d'admission au cégep.

Il se rassoit bien au creux de sa chaise.

— Eh bien, tu n'as qu'à en faire une pour le deuxième tour. Après tout, tu fais une ou deux demandes, mais rien ne t'oblige à y aller ensuite. Moi, je pense que c'est juste un formulaire qui ouvre des portes. Mon père dit toujours que dans la vie il faut avoir plein d'options. Les choix, ça vient plus tard.

C'est si simple quand il le formule comme ça. Pourquoi, quand ça vient de lui, je ne me renfrogne pas comme je le fais quand il s'agit de mes parents ou de… de Stéphanie ? Je chasse l'image de mon ex-meilleure amie et replonge dans ma conversation avec mon beau jumeau.

— Vu de même… Mais je ne sais pas quoi choisir. Je ne sais pas ce que je veux faire, dis-je, débinée juste d'en discuter.

— Alors, prends la bible des établissements collégiaux et des programmes au lieu d'étudier, lance-t-il tout bonnement, comme s'il s'agissait d'une évidence.

— De quoi tu parles ?

— Do, il existe un gros catalogue avec la description de tous les programmes de tous les établissements. Toi qui aimes les magazines, tu vas avoir un plaisir fou à le lire, m'indique-t-il en se levant.

Il revient rapidement et, fier de lui, dépose ledit cahier par-dessus mon manuel d'économie.

— Tu sais que tu es génial, Joe.

Le temps s'arrête ou, plutôt, j'arrête le temps pour vivre un autre moment magique où nous nous regardons dans les yeux. On n'a jamais reparlé du party de Saint-Valentin, mais je sais qu'il y pense autant que moi. Parfois. Quand nous nous observons comme ça, complices, il y a une énergie indéniable entre nous. Il est spécial pour moi.

J'ai donc suivi le conseil de Joe et je passe la majorité de mon temps à feuilleter les dépliants des cégeps. C'est en quelque sorte amusant, parce que chaque programme me fait rêver à toutes les possibilités qui s'offriront à moi l'an prochain. À tout ce que je pourrais devenir.

Ça me rappelle aussi le début de cette année, quand je regardais les magazines de ma mère et que je croyais à une autre vie. Ça me ramène à ma popularité passagère. Dès que j'y pense, je me sens faiblir, alors je me concentre de nouveau sur la multitude de programmes offerts au collégial. Et, parce que réfléchir au cégep me tire du jus, je passe au moins trente minutes par session de biblio à regarder le gros livre sur Marilyn Monroe. Je la trouve fascinante. Je connais sa biographie par cœur et je ne me lasse pas de regarder ses photos. Voir que cette adolescente a réussi à devenir un *sex-symbol* et à innover grâce à son caractère unique, ça m'aide à calmer mon doute persistant quant à mon avenir et à ma place dans le monde.

Marilyn. La marijuana. Fantasmer sur Joe. C'est mon refuge mental. J'adore le sentiment de flotter. D'être au-dessus de tout.

Je considère ma nouvelle habitude d'hiberner à la bibliothèque comme le remède idéal contre mon écœurantite aiguë de la vie.

CHAPITRE 10
LA DÉFINITION DE L'AMITIÉ

Stéphanie

— Elle m'ignore et je fais la même chose. Alors arrête de m'en parler, OK?

— Steph, je t'ai juste demandé comment allait ta chicane avec Do, ne t'énerve pas.

— Félix, ça ne se demande pas, «comment va une chicane», dis-je sèchement avant de justifier mes propos. Selon sa définition, une chicane, c'est signe que ça va mal. Tu m'embêtes avec tes questions.

Je lui fais signe de s'écarter de moi, d'aller respirer plus loin. Je le balaie de la main.

Mon frère rit.

— Quoi ? Qu'est-ce que tu as à rire comme ça ? Moi, je ne trouve pas ça drôle que ma meilleure amie m'ait joué dans le dos et que, maintenant, on ne se parle plus. C'est quoi ? Tu t'ennuies d'elle ?

Je sais qu'elle lui manque. Dorothée fait de l'effet à tous les hommes qu'elle rencontre. C'est plus fort qu'elle, d'arborer un air charmeur. Et, quand elle se fout complètement de leur présence, c'est son côté mystérieux, farouche, qui allume les gars. Dorothée fait tourner les têtes, même quand elle a l'air bête. Mon frère ne fait pas exception, lui aussi ne peut s'empêcher de la contempler. Je n'ai pas besoin qu'il me réponde, j'ai vu comment il la reluquait les dernières fois qu'elle est venue à la maison ; il avait le regard du parfait hockeyeur séducteur.

— Relaxe, Stéphanie. Je pose la question parce que je te connais par cœur et que je vois bien que tu as de la peine. Pas parce que je m'ennuie de Dorothée. Et puis, si je ris, c'est parce que tu réagis comme ton amie.

Il ose en rajouter.

— Comment ça, je réagis comme Do ?

— Tu te braques. Tu es sur la défensive et tu ne gères pas ta peine, encore moins ton différend avec elle, explique Félix.

Je ne sais pas quoi répondre. Mon frère a raison, mais je n'aime pas ça et je n'apprécie guère son air de policier *slash* travailleur social. Je m'ennuie de Do, et le pire, c'est que je ne suis plus fâchée. Ma relation va si bien avec Jeff que je sais aujourd'hui que jamais un tel incident ne se reproduirait. Nous sommes bien ensemble.

— OK. C'est vrai, Félix, mais je ne sais pas quoi faire. Je pensais que j'allais voir Do chez Jeff, parce qu'imagine-toi donc qu'elle traîne avec Joe tout le temps, dis-je, un peu irritée, ce qui me fait prendre conscience que, bien que je ne sois plus véritablement frustrée, je n'aurai pas la tête en paix tant que nous ne nous serons pas expliquées.

— Qu'est-ce qu'il y a de mal là-dedans ? me demande mon frère, ne suivant pas mon raisonnement.

— Bien justement, c'est cool, comme situation. C'est ça qu'on voulait, que moi je sorte avec Jeff et qu'elle sorte avec Joe. Mais là, je ne peux même pas parler de mon nouveau chum à ma meilleure amie. Et puis, je ne sais même pas ce qui se passe entre elle et Joe. Ça fait que ce n'est pas cool du tout. C'est poche.

Il rigole. Encore. Puis, devant mon air ahuri – je ne trouve rien de drôle dans cette histoire et ma moue en témoigne –, il prend ses airs de grand frère et y va d'un de ses conseils.

— Tu as juste à lui parler. Ce n'est pas compliqué.

J'aurais aimé qu'il soit plus précis.

— Au contraire, c'est complexe. Parce que je m'étais dit qu'on se reparlerait de manière naturelle, soit un midi à l'école, peut-être chez les jumeaux ou encore à l'aréna, je ne sais pas… Mais elle se sauve, on dirait. Une taupe. Je te le dis : à l'école, elle disparaît le midi, et Jeff m'a raconté que son frère et elle vont tout le temps à la bibliothèque faire leurs devoirs ensemble après l'école. Elle l'aide, lui, pendant que je me casse la tête toute seule en faisant mes travaux. Ce n'est pas juste. Elle fait une connerie et je paie, finis-je par dire, croisant mes bras fermement.

— Ah ! les filles…, soupire Félix. Veux-tu que je l'invite à aller voir ton match de ringuette ce week-end ? On peut provoquer une situation. Le but, c'est que vous vous reparliez, non ?

— Merci, Félix, c'est gentil, mais, s'il y a quelque chose à provoquer, je tiens à ce que ce soit Dorothée qui fasse les premiers pas.

Félix sort de ma chambre et referme la porte. Je crois que je viens de mettre le doigt sur ce qui m'empêchait de voir une réconciliation possible. Je veux que ce soit Do qui m'appelle ou s'excuse. Ça m'étonne d'ailleurs qu'elle ne l'ait pas déjà fait. Elle qui me texte et m'appelle chaque fois qu'elle pense qu'il y a un inconfort entre nous deux – et qu'en réalité il n'y a rien du tout. Elle qui s'excuse pour un rien. Eh bien, maintenant que c'est le temps d'être sincèrement désolée et de s'excuser, elle se transforme en fantôme.

C'est le premier week-end d'avril. Le soleil fait fondre ce qui reste de l'hiver. Je me prépare un bol de café au lait et je m'assois dehors. Jeff est parti avec ses parents pour voir un match de hockey à Toronto. Je suis seule. Je pense à Do. Je m'ennuie. C'est à elle que je veux raconter ma première fois… et les dizaines de fois suivantes que j'ai fait l'amour avec Jeff. On a anticipé ensemble ce moment important de ma vie si souvent. Do parle beaucoup pour ne rien dire, mais elle a aussi le don d'écouter, surtout quand il s'agit d'une histoire d'amour. Ses yeux brillent et il n'y a personne au monde qui croit en l'amour autant qu'elle. Perdue dans mes pensées, les rayons du soleil sur mon visage, j'entends mon cellulaire sonner. C'est un texto. De Dorothée. Quelle coïncidence, je pensais justement à elle… «Salut, Steph. Je sais que ça fait longtemps, mais je m'ennuie de toi… et j'ai ma première *date* avec Joe ce soir. Je suis nerveuse et c'est juste avec ma meilleure amie (si tu veux toujours l'être) que je veux partager ce moment-là.»

Décidément, il y a de la télépathie dans l'air.

La franchise de Dorothée est épatante, mais ça me paraît incompréhensible. Je pensais que ces deux-là étaient rendus pas mal plus loin que ça. Aurais-je couché avec Jeff avant qu'elle ne fasse l'amour avec Joe, si j'avais su ? Ça me paraît presque impossible. Je suis curieuse. J'hésite... Devrais-je l'appeler ? Non, je vais lui répondre par message texte : « Cool. Ça m'étonne, je croyais que vous étiez déjà ensemble.»

Bip. Dorothée poursuit la conversation à une vitesse folle. Elle doit être vraiment énervée. « Non, ce serait long à t'expliquer... Veux-tu venir chez moi ? »

J'hésite encore. J'ai vraiment envie de voir Dorothée, mais il me semble qu'elle fait appel à moi juste quand elle en a besoin.

— Félix? Est-ce que je peux prendre ton auto? lui demandé-je, brandissant les clés de son véhicule, signifiant que je suis prête à partir.

— Pourquoi ? me questionne-t-il par automatisme.

— Pour aller chez Do.

Je souris. Il a l'air satisfait. Je précise que c'est elle qui m'a appelée. Après ce qu'il m'a tenu comme sermon sur l'amitié, je le vois mal refuser.

— OK, mais reviens avant vingt heures parce que je sors, ce soir.

Je lance un merci et je file.

Retrouver une amie, c'est comme refaire de la bicyclette au printemps. L'équilibre revient après un coup de pédale. À la seconde où on met le pied dans sa chambre, Do lance notre musique préférée. On en a long à se dire ; te raconter un mois complet quand tu te parles habituellement tous les jours, ça donne une conversation exponentielle ! Elle m'étonne en me demandant de commencer.

— Steph, je suis si contente de te voir. Je me suis ennuyée de toi au max. Vas-y, raconte-moi ton mois de mars. Jeff, je veux tout savoir. Avez-vous ?…, me questionne-t-elle, sans avoir besoin de terminer sa phrase, sachant très bien que je devine à quoi elle fait allusion.

— Oui. Oui. Eh oui ! jubilé-je, survoltée par le fait d'enfin pouvoir l'exprimer à voix haute.

Dorothée se jette sur moi et me serre dans ses bras. Son étreinte me coupe le souffle. La distance qui nous séparait dans les dernières semaines a disparu. Notre complicité maintenant retrouvée, je lui raconte tout en détail.

— Ton tour, la pressé-je. Do, j'étais certaine que tu sortais avec Joe. Je pensais juste que tu ne venais pas chez les jumeaux pour m'éviter.

Dorothée rougit. Avant Joe, aucun garçon ne lui a fait cet effet-là.

— Écoute, Steph, je culpabilise encore pour ce qui s'est passé le soir de la Saint-Valentin, se désole-t-elle, le regard plaqué au sol. Alors je vous évitais pour être certaine de ne pas gâcher ta relation avec Jeff… J'ai assez saboté notre amitié comme ça. Et puis…, ajoute-t-elle en relevant enfin la tête, avec Joe, on a fait le pacte de ne pas parler des « événements ». On est repartis à zéro. Donc, théoriquement, on ne s'est jamais embrassés… C'est pour ça que je suis *full* stressée. Parce que c'est un ami, mais je veux plus et je sais que lui aussi. Disons que ça fait un bon moment qu'on se résiste.

Dorothée s'est excusée, tout va bien pour moi en amour, je suis super excitée de retrouver ma complicité avec ma meilleure amie, alors je range notre chicane dans le tiroir des vieilles histoires et je plonge dans le moment présent.

— C'est trop excitant! Do, te rends-tu compte que ton plan fonctionne? Moi, je sors déjà avec Jeff et, si tout roule comme ça, on va aller au bal ensemble, c'est sûr. Il manque juste que tu sortes avec Joe. Le mois d'avril est commencé, il reste mai, et le bal est à la fin de juin. Ça va aller vite. J'ai trop hâte à la fin de l'année.

Dorothée semble avoir perdu son enthousiasme légendaire. Elle ne réagit pas à mes propos. Serait-elle encore sujette à des attaques de panique? Je n'ai pas posé de questions sur sa santé, supposant en la voyant qu'elle était en pleine forme. Je la relance:

— Si Joe et toi, vous vous rencontrez toujours en terrain neutre, comme tu dis, pourquoi ce soir tu vas souper chez lui et tout le tralala? Ça ressemble à un rendez-vous galant. En plus, ni Jeff ni ses parents ne sont là, ils sont absents pour tout le week-end.

J'ai piqué au bon endroit. Il n'en fallait pas plus pour que Do déballe tout.

— Tu sais que j'ai été malade durant la moitié du mois de février et que mon retour à l'école a été difficile. Toi et moi, on ne se parlait plus, et mes parents s'inquiétaient à cause de ce que le docteur a dit lors de ma visite à l'hôpital. Tu sais ? La crise de panique que j'ai eue ? D'ailleurs, une chance que tu étais là. Eh bien, depuis ce temps-là, j'ai quand même peur des fois de revivre ça, mais je ne voulais en parler à personne, ça fait que j'ai trouvé en Joe tout le réconfort dont j'avais besoin, explique-t-elle vaguement.

— Qu'est-ce que tu veux dire ? demandé-je, ayant besoin de précisions pour saisir le sens de « réconfort ».

— Tu sais qu'à part toi, je n'ai pas vraiment d'amie, alors passer mon temps libre après l'école avec Joe, c'était parfait, et puis… Ne me juge pas, s'il te plaît, mais j'ai commencé à fumer de petits joints pour calmer mes angoisses. Donc, étant relax, je suis à l'aise avec Joe et oh… ne me juge pas, OK ? m'implore mon amie, qui jadis était plus confiante qu'en ce moment.

— Inquiète-toi pas, Do, je ne te juge pas, la rassuré-je. Continue, arrives-en à pourquoi tu vas chez Joe ce soir et tu cherches à le séduire ! Saute le reste de l'histoire, Jeff m'a raconté que vous passiez tout votre temps à la bibliothèque.

— C'est ça, à la bibliothèque ; Joe faisait ses devoirs, mais moi, je passais la plupart du temps à me questionner. Je stressais parce que je n'avais pas fait ma demande au cégep.

Dorothée attend que je réagisse, mais je ne dis rien. Si elle emploie le verbe «stresser» à l'imparfait, c'est parce qu'elle ne stresse plus. Et je sais que le sujet de la demande d'admission est ultradélicat. Devant mon silence, elle continue :

— Joe m'a convaincue de faire une demande au deuxième tour. Je l'ai postée jeudi, lâche-t-elle enfin, une pointe de fierté dans la voix.

— C'est génial, Dorothée !

Je la félicite tout en me demandant pourquoi ça lui paraît une tâche si difficile et pourquoi elle en fait tout un plat. Après tout, il y a je ne sais combien de milliers d'étudiants qui remplissent le formulaire d'admission chaque année et je n'ai jamais entendu quelqu'un stresser là-dessus plus de quelques minutes… Il me semble que c'est en attendant la réponse que la plupart des gens s'énervent. Mais bon… c'est cool.

— Joe aussi, il trouve ça génial, alors il a sauté sur l'occasion et m'a invitée à souper et à passer la soirée avec lui, pour célébrer mon geste, dévoile-t-elle, éclaircissant le pourquoi de cette soirée et les raisons de toute cette fébrilité. Pour être honnête, j'espère ce moment-là depuis longtemps, tu le sais…

— Alors, qu'est-ce que tu attends ! Montre-moi ce que tu veux mettre ! Mais pas trop de rouge à lèvres, parce que je suis certaine que vous allez vous embrasser !

Je fais rire ma meilleure amie. Je suis heureuse de la retrouver. Ça me surprend quand même d'apprendre qu'il n'y a pas eu de rapprochement entre son jumeau Perron préféré et elle. Je la regarde fouiller dans sa garde-robe, d'où elle ressort trois paires de jeans. Elle les essaie une après l'autre sans jamais avoir l'air satisfaite. Pendant ses recherches du kit parfait, je ne peux empêcher la curiosité de me gagner.

— Ne te fâche pas, Do, commencé-je par dire, imitant mon amie qui me demandait de ne pas la juger avant de s'adresser à moi un peu plus tôt, je sais que tu n'aimes pas parler du cégep, mais, maintenant que ta demande d'admission est faite, est-ce que je peux savoir où et dans quel programme ?

Elle me répond sans broncher.

— J'ai hésité longtemps. Ça me déprime, les programmes. Ça m'a fait prendre conscience que je ne sais pas ce que je veux faire, mais que je sais ce qui ne m'intéresse pas. J'ai découvert que je suis du type artiste, alors j'ai opté pour le Cégep de Saint-Laurent : art dramatique. Si ça ne fonctionne pas, je me suis trouvé un deuxième choix pour le dernier tour : arts visuels.

Dorothée, une artiste… Je ne l'avais jamais perçue ainsi. Je crois que Félix a raison quand il dit que Dorothée se cherche.

— J'ai engraissé. Je n'arrive pas à attacher mes jeans ! J'ai un bourrelet. Ouh là ! grince Do en me montrant le petit surplus de peau qui déborde de ses jeans hyper serrés.

Je rigole et je confirme à mon amie que ça lui va à ravir. Qu'elle a des formes de femme. Quand elle considère sérieusement l'idée d'annuler son souper, j'opère le même manège que la veille du jour de l'An : je travaille à la convaincre. Et il n'y a rien de plus efficace pour ça que de lui trouver un look qu'elle aime. Quand elle se trouve belle, Dorothée gagne en confiance. Je ne peux pas lui dire ça comme ça, alors j'entreprends une fouille dans son immense *walk-in*.

— J'ai trouvé, Do ! Viens essayer cette jupe-là. Impossible qu'il t'ait déjà vue avec, parce qu'il y a encore l'étiquette dessus.

— Je l'avais oubliée ! J'ai dû l'acheter lors de ma crise de magasinage de janvier.

Satisfaite de la combinaison jupe taille haute et chandail ample, Dorothée se maquille et étire ses cheveux. Je ne me rappelle plus la dernière fois où je l'ai vue ainsi. Pas trop sexy, pas en coton ouaté, juste belle.

J'ai insisté pour aller la reconduire, même si c'est au coin de la rue.

Mon amie se la joue cool, mais, avec notre récente chicane, j'ai compris qu'elle cache bien ses émotions. C'est pourquoi je tente de la faire parler, de cerner son état d'esprit.

— Tu es nerveuse ? osé-je lui demander en démarrant le moteur.

— Qu'est-ce que tu veux que je te réponde, que je suis tétanisée de l'intérieur ? Il me semble que c'est évident, que je suis nerveuse. Je te l'ai dit mille fois, en plus. Pourquoi en rajoutes-tu ? m'assomme-t-elle.

C'était trop beau pour être vrai. Dorothée n'a pas perdu de son mordant, et son ton sec me rend muette pendant un instant.

Tant pis ; si je suis pour être son amie de nouveau, aussi bien commencer par être honnête.

— À ta place, je ferais attention à ne pas répondre à Joe sur le même ton massacrant. Ça va le perturber, lui lancé-je avec aplomb, démontrant que je suis aussi capable qu'elle de répliquer sèchement.

— Un ton massacrant? s'étonne-t-elle, me regardant comme si c'était moi qui avais un problème.

— Oui, un ton massacrant, que je me plais à répéter. Moi, je suis habituée, et puis c'est dans ma nature de ne pas prendre les choses que tu dis au pied de la lettre. Mais ça m'étonnerait que tu lui parles sur ce ton-là durant vos petites sessions à la bibliothèque, parce que, si c'était le cas, je ne pense pas qu'il t'aurait invitée ce soir. Personne n'aime ça. C'est bizarre, comme attitude, poursuis-je.

— Bizarre? s'offusque-t-elle.

— Je veux dire que ça surprend.

Il reste quatre maisons avant celle des jumeaux. Dorothée me regarde et tente de me remettre à ma place:

— Je me fous de ce que tu viens de dire. Ce n'est pas la première fois qu'on me passe le commentaire. Ma mère me répète souvent de faire attention à comment je m'adresse aux gens. Et mon père me taquine en me disant qu'il doit marcher sur des œufs en s'adressant à moi, ou que je lui rappelle mon oncle Arthur quand je souris d'une certaine façon. Il est ironique, parce qu'Arthur est tout sauf normal. Il est reconnu dans la parenté pour ses humeurs changeantes et cause toujours des scènes dans les fêtes de famille. Et tu sauras que, si tu veux qu'on reste meilleures amies, il va falloir que tu m'acceptes comme ça, souffle-t-elle d'un trait, sans même respirer entre deux mots.

— On est arrivées. Je te souhaite une belle soirée. Et Dorothée…

Je n'ai pas envie qu'on se laisse sur une mauvaise note.

— Je crois que la définition de l'amitié, c'est d'être capable de se dire les vraies choses, même quand ce ne sont pas des compliments, poursuis-je.

Elle reste muette. J'ai envie de lui dire « d'articuler son silence », mais je me contente de sourire.

— Cool. Tu as probablement raison, murmure-t-elle finalement, le visage rayonnant.

— Pour de vrai ? Tu me donnes des nouvelles, alors ?

— Promis ! On va déjeuner demain matin et je te raconte tout !

Je suis heureuse de retrouver nos habitudes. Déjeuner au resto le dimanche, c'est un classique.

— Dorothée, vas-tu vraiment juste commander un café et du yogourt avec des granolas ?

— Oui. J'ai décidé de retrouver ma taille de guêpe.

— Tu me fais rire, même avec le poids que tu as pris, tu es encore mince. Bon, raconte-moi ta soirée, maintenant ! Qu'est-ce qu'il t'a cuisiné ? plaisanté-je.

— Steph, la soirée ne s'est pas déroulée comme je l'imaginais, commence Dorothée, se mordillant la lèvre inférieure, le signe suprême que quelque chose la contrarie, la gêne ou l'incite à mentir.

Voyant que mon amie tourne sa langue sept fois dans sa bouche avant de continuer à parler, je poursuis avec mon sermon sur la définition de l'amitié :

— Do, les vraies amies, ça ne se conte pas de mensonges. C'est arrivé une fois et tu en as vu les conséquences. Alors vas-y, je veux tout savoir. Avez-vous couché ensemble avant ou après le souper ?

— On n'a rien fait. On s'est juste embrassés. C'était super embarrassant. Imagine, je suis arrivée chez lui et on a tout de suite commencé à boire des vodkas-canneberge. On a fumé un petit joint. Ensuite on a mangé du popcorn et on a continué à boire. J'étais soûle, on regardait un film de *Jackass*, un peu collés sur le sofa et, tout à coup, il m'a embrassée. C'était tellement bon. Il a commencé à me toucher et à me dire combien il me trouvait belle. Je lui ai retourné ses caresses jusqu'à ce que j'aie un flash du party de Saint-Valentin. Je suis devenue mal à l'aise, ma tête tournait, je ne voulais pas aller plus loin. J'avais peur qu'il pense que je suis une salope. Alors je me suis levée et je suis partie. Vite. Joe m'a suivie. Il voulait au moins me raccompagner, mais j'ai refusé. Arrivée à la maison, j'ai fumé un joint pour me calmer et je me suis endormie. Je suis une belle conne, hein ?

Je suis étonnée du récit de Dorothée, mais, en même temps, je suis heureuse qu'elle me fasse assez confiance pour se confier. Je ne veux surtout pas la vexer, alors j'essaie de la rassurer.

— Sérieux, Dorothée, tu t'en fais pour rien. Je suis certaine que tout ce que Joe attend aujourd'hui, c'est que tu lui donnes des nouvelles. Il doit se poser des questions. Plus vite tu vas lui reparler, le mieux ce sera. N'oublie pas que c'est ton ami, c'est toi qui me l'as dit, hier. Tu as confiance en lui, tu peux tout lui dire. Vous allez passer à autre chose.

— C'est la honte, je ne peux pas lui reparler, plaide la belle blonde assise devant moi.

— Écoute-moi. Je ne voulais pas te le dire hier, mais je sais à quel point Joe veut sortir avec toi. Jeff me casse les oreilles depuis un mois avec ça.

J'ai réussi à attirer son attention parce qu'elle me regarde, une pointe d'espoir dans ses yeux qui brillent de nouveau.

— Joe, c'est un bon gars, il a dit à son frère qu'il attendrait aussi longtemps qu'il le faudrait pour t'embrasser encore. Il est fou de toi. Je vais te le répéter une dernière fois, et j'espère que tu me croiras : Joe ne te juge pas pour ton comportement au party de Saint-Valentin et il ne te juge pas non plus pour ton minuscule séjour à l'hôpital, alors fais comme tout le monde et mets ces deux épisodes derrière toi.

Elle semble me croire. J'en rajoute pour être certaine.

— Dis-toi qu'il a manqué l'occasion d'aller voir un match de hockey à Toronto pour être en ta compagnie. C'est quelque chose, ça ! Il t'adore ! Il n'y a que toi pour ne pas le voir. Et j'insiste sur le fait que toi aussi, tu rêves de sortir avec lui !

Je réussis à faire sourire mon amie. Elle termine son déjeuner de moineau.

— J'ai une idée, je vais te laisser chez Joe quand on reviendra du resto ; fais-lui une surprise. Tu as juste à continuer là où vous avez arrêté hier !

Elle acquiesce d'un rire délicat, passant une main dans ses cheveux, cherchant son rouge à lèvres dans son sac.

Après cinq ans d'amitié, je suis passée maître dans l'art de convaincre Dorothée.

CHAPITRE 11
L'AMOUR DE MA VIE

Dorothée

J'ai les mains moites. Mon cœur veut sortir de ma poitrine. Pourquoi ai-je sonné ? J'aurais juste pu attendre que Steph reparte et ensuite m'éclipser à pied jusque chez moi. Je n'aurais pas dû l'écouter. Depuis quand j'écoute Steph ?

Mon Dieu. La porte s'ouvre. Je n'ai pas le temps de faire une prière complète. Aidez-moi.

— Salut, m'accueille Joe, l'air surpris de me voir débarquer chez lui.

Il sourit et m'invite à pénétrer dans la maison d'un geste du bras. Contrairement à moi, il ne présente aucun signe de nervosité.

— J'arrive de m'entraîner et j'allais sauter dans la douche. Attends-moi, ça ne devrait pas être long, me dit-il en marchant vers le salon avant de s'arrêter et de se retourner vers moi, pour plonger une millième fois ses yeux dans les miens et me faire fondre de désir. Je suis content de te voir, ajoute-t-il de sa voix suave avant de disparaître au sous-sol.

Sa gentillesse à mon égard dissipe mes appréhensions. Je m'exécute et je patiente au salon. Je me ronge les ongles. Je vais faire quoi quand il va sortir de la douche ? Dire quoi ? Je ne peux pas me sauver encore. Je le trouve tellement beau. En plus, avec ce que Steph m'a dit, je sais qu'il m'aime bien. Il faut que je passe à l'action.

Sans réfléchir plus de deux secondes, je dévale les marches, me déshabille, entre dans la salle de bain et ouvre la porte de la douche pour me faufiler sous l'eau chaude. Encore plus surpris qu'il y a cinq minutes, Joe me regarde, incrédule. Quand je vois son érection, je me colle sur lui et je commence à frotter mon bassin contre le sien. On s'embrasse et, exactement comme dans les films, tout ce qui existe autour de nous disparaît. Je me laisse transporter par ses baisers, et notre étreinte nous mène dans son lit.

Il est doux, passionné, il me caresse partout. Je me sens désirée comme jamais. Je bouge comme je ne me croyais pas capable de bouger. L'acte de faire l'amour vient d'être redéfini.

MONTAGNES RUSSES

Allongés depuis je ne sais combien de temps, ma tête appuyée sur sa poitrine, sa main dans mes cheveux, nos respirations en harmonie, nous n'osons briser ce délicieux silence, de peur de mettre fin au moment.

— Je rêvais de cet instant, Dorothée, me susurre-t-il, sa voix déclenchant aussitôt une réaction d'excitation dans tout mon corps.

Je me tortille de joie. Je suis gênée. Emballée. Dépassée. Je me cache sous le drap, la tête toujours posée sur son torse musclé.

— Est-ce que tu vas te sauver ? chuchote-t-il en venant me rejoindre sous la couverte et en me serrant fort contre lui.

Il me pose la question en rigolant, mais je sens le sérieux dans sa voix. C'est magique. J'obéis à mes pulsions, je pose mes lèvres sur les siennes et je l'embrasse langoureusement.

Il me retourne mon baiser, si bien que je m'agrippe d'une main à son épaule, de l'autre à ses cheveux, et je le laisse me basculer sur le dos.

Je crois que mon visage n'a jamais été si détendu. Ma respiration est profonde. Je ne pense plus, je bouillonne de sensations. Nous faisons l'amour encore une fois, avec tellement de fougue que j'en tremble quand c'est fini. Joe semble tout aussi exténué que moi, car il halète, son corps est couvert de sueur et il ne cesse de répéter le mot «Wow», ce qui me fait rire timidement.

— Wow, dis-je à mon tour, de la satisfaction dans la voix.

Joe me regarde longuement, m'observe, se laisse bécoter le cou, ronronne, jusqu'à ce qu'il pose ce geste qui me renverse toujours autant : il se place face à moi, m'immobilise et me regarde avec intensité, ses yeux dans les miens.

— Alors, on sort ensemble ? me demande-t-il. Je peux me vanter que Dorothée est ma blonde ?

Il me serre contre lui et clame que même si je voulais me sauver je ne le pourrais pas. C'est trop beau pour être vrai. Joe qui m'enlace, nu, et qui me dit ne plus jamais vouloir me quitter. Alors, oui.

— Oui, je le veux.

Il me regarde, l'air incertain, ricaneur.

— Oui, tu veux quoi ?

— Oui, je veux qu'on sorte ensemble !

Je rougis. C'est le plus beau jour de ma vie.

— Je voudrais rester couchée avec toi pour l'éternité, Joe, mais c'est dimanche et je dois rentrer pour souper. Mes deux parents sont là.

Rentrer chez moi signifie tout à coup le quitter et revenir à la réalité. Mes neurones s'activent. Est-ce que nous venons réellement de faire l'amour deux fois de suite ? Est-ce que je viens de goûter au plaisir du sexe ? Est-ce que Joe Perron, le gars sur qui je tripe depuis la première semaine du secondaire, vient vraiment de me demander de sortir avec lui ? Pourquoi je doute ?

Peut-être parce qu'on dirait que je rêve.

J'ai besoin d'être rassurée.

— Dis-moi, depuis quand tu veux qu'on sorte ensemble ? le questionné-je de manière anodine, en remettant mes vêtements.

Il s'approche de moi.

— Quand j'ai choisi de m'asseoir en avant de toi en classe, c'était dans l'espoir de te connaître plus, mais je veux vraiment qu'on sorte ensemble depuis le jour de la Saint-Valentin, me dit-il doucement tout en plaçant son doigt sur ma bouche pour m'empêcher de répliquer. J'ai toujours eu envie de t'embrasser et de te serrer dans mes bras depuis ce soir-là. J'ai résisté plusieurs fois, à la bibliothèque, à la tentation de te voler un baiser. Sincèrement, si tu n'étais pas venue me faire une si belle visite-surprise ce matin, je ne crois pas que j'aurais pu rester seulement ton ami… tu m'attires trop.

Légère comme une plume, je trottine jusque chez moi.

Juste avant d'entrer dans la maison, j'envoie une photo de mon sourire béat à Stéphanie et lui texte : «Tu es la meilleure amie du monde entier, merci de m'avoir poussée à aller chez Joe. ON SORT ENSEMBLE !!!!!!!!!!!!!!!»

— Alors, Dorothée, où étais-tu toute la journée ? me demande ma mère au moment où je fais mon entrée dans la cuisine.

— Chez Joe, réponds-je, ultradétendue.

Mon père me fait un clin d'œil. Et on dirait que ma mère attend la suite de ma réponse. Pour une fois, je veux satisfaire sa curiosité.

— Maman, Joe, c'est mon chum. Je l'aime, déclaré-je fièrement.

— C'est bien, Do. Je suis certaine que c'est un bon petit gars.

Ma mère fait son autruche. Il n'y a plus de « petits gars » à dix-sept ans. Et on fait plus que se donner des bisous. Je rigole toute seule. Mes parents continuent de parler et ne se rendent pas compte que je joue avec ma nourriture sans avaler quoi que ce soit. Je veux vivre d'amour et d'eau fraîche, comme dans les films.

Ce soir, je n'ai pas besoin de fumer un joint pour me calmer, mais plutôt pour arriver à dormir, car je pourrais rester éveillée toute la nuit à revoir ses mains, sa bouche…

On expose notre vie de couple au grand jour dès le lendemain. En fait, on n'a pas le choix, parce que l'envie de nous embrasser et de nous enlacer est tellement forte qu'on n'arrive pas à se retenir devant les autres, à l'école. J'ai remarqué les regards braqués sur moi. Sur Joe. Et sur Steph et Jeff. On est un quatuor de la mort ! Stéphanie et moi, on vit notre rêve de secondaire. Mais il y a quand même une grosse différence entre sa relation et la mienne. Disons que ses conversations avec son chum tournent autour des trucs d'entraînement physique et des coups de patin. Elle adore s'entraîner avec lui et elle assiste à tous ses matchs de hockey locaux, et vice-versa. Joe et moi, notre centre d'intérêt commun, c'est d'abord et avant tout le sexe. En tant que jeune couple, on s'adonne pas mal à cette seule activité. Et, contrairement à ce que pense ma meilleure amie, je trouve normal, voire naturel qu'on veuille passer tout son temps avec l'homme de sa vie.

On a commencé à faire l'amour chaque fois qu'on en a l'occasion. Un jour, je lui ai même fait une fellation dans les toilettes de l'école. En revanche, il a satisfait mon fantasme du dernier mois : un cunnilingus à la bibliothèque, dans la rangée où se trouve mon livre préféré sur Marilyn Monroe. Le comble de la passion. J'ai senti à ce moment-là une explosion intérieure. Mon corps s'est enflammé et, depuis, je dois avouer que le sexe est passé d'activité à priorité dans ma vie.

Il n'y a pas grand-chose qui a changé dans ma routine. Joe et moi, on a troqué nos rendez-vous à la bibliothèque contre des sessions d'amour dans sa chambre. Je peux ainsi rentrer chez moi à l'heure du souper – donc satisfaire aux exigences de mes parents, qui s'inquiètent un peu pour moi depuis ma maladie à la fin de février, à cause des conclusions du médecin, même si je leur répète que je ne suis pas déprimée ni angoissée, et que l'amour est un remède extraordinaire aux tracas de la vie. J'essaie de ne pas trop manger aux repas ; mes jeans ultramoulants me font de nouveau. Et, pour arborer le look que j'avais en janvier dernier, je dois conserver ma silhouette de mannequin, même si mon amoureux me dit que je suis aussi belle en leggings et coton ouaté que pomponnée de la tête aux pieds. Le soir, je fais quelques devoirs en attendant que ma mère se couche et, dès que la maison devient silencieuse, je sors sur mon balcon de princesse pour fumer un petit joint. Je peux y rester des heures, à rêvasser entre deux textos de Joe ou à parler à Steph. Avec nos nouveaux copains et toutes les activités sociales de miss sportive qui sort avec un hockeyeur, on ne se voit plus beaucoup à l'extérieur de l'école, alors on s'appelle le soir.

Il y a une semaine, j'ai bu trois bières – c'est mon *drink* printanier – et fumé deux joints, et c'est la tête légère que j'ai osé visiter des sites pornos. Je ne pensais pas qu'on pouvait en voir autant, gratuitement. Avec des gens de mon âge, ou, enfin, des filles de dix-huit ans. Ça m'a excitée et, surtout, ça m'a inspirée. Le lendemain, en faisant l'amour avec Joe, j'ai essayé de reproduire ce que j'avais vu. Le résultat a été concluant. Alors, je navigue sur la Toile, tous les soirs, pour trouver de nouvelles idées. Ça rend Joe complètement fou, ses érections durent de plus en plus longtemps. Je suis cochonne et il aime ça.

— Mon amour ?

— Oui, ma belle Dorothée, répond-il, calme, même si je sais qu'il trouve que je pose un peu trop de questions après avoir fait l'amour.

— Trouves-tu que nos corps forment une union parfaite ?

— On peut dire que oui. Des fois, tu me fais même penser à une actrice de films X ! Mais… que je respecte.

— Tu étais mieux d'ajouter ce dernier commentaire. Je le prends comme un compliment… Mais Joe ? ajouté-je.

— Oui, mademoiselle Dorothée qui pose mille et une questions après l'acte ?

— Crois-tu qu'on va se marier ? lui demandé-je sans attendre sa réponse. Moi, je suis certaine que tu es l'homme de ma vie. Il faudrait être aveugle pour ne pas remarquer que nous sommes un couple parfait.

Il rit. C'est un rire de bonheur, senti, empreint des projets communs qui défilent dans sa tête. Je connais si bien mon Joe, maintenant, que je suis certaine de ce qu'il pense, à tout moment.

— Dorothée, ne le prends pas mal, mais ça fait trois semaines qu'on sort ensemble, dit-il d'emblée, ce qui me fait grincer des dents. Même si tu trouves chaque jour un moyen de réinventer notre relation, avec tous tes trucs sexuels, je ne suis pas prêt à m'engager pour plus que ce qu'on vit présentement. Seul le temps va nous dire si notre couple va durer.

On est au secondaire, on est jeunes. Moi, j'ai le goût d'en profiter, pas de planifier mon avenir.

Il est fou ou quoi? Je ne peux pas croire qu'il vient de dire cela. Mon visage se crispe. Mes yeux s'embuent. Je vais pleurer.

— Dorothée, franchement, ne pleure pas. Même si je pense moins au futur que toi, ça ne veut pas dire que je ne t'adore pas. Au contraire. Tu me fais capoter. T'es juste plus vite en affaires que moi. N'oublie pas qu'il y a un mois tu voulais seulement être mon amie, se justifie-t-il.

Je trouve son explication bidon et ses mots me déchirent le cœur.

— Tu as raison, me contenté-je de rétorquer, utilisant cette phrase passe-partout pour clore la conversation.

Ce n'est pas vrai que je trouve qu'il a raison. Mais qu'est-ce que je peux répondre à cela? Pour rien au monde je ne voudrais le perdre, alors j'évite d'entamer une discussion qui pourrait ébranler notre paradis sur terre. Je refoule les scénarios de disputes qui envahissent ma tête. J'ai la gorge nouée. C'est l'heure du souper. Je dois rentrer chez moi.

Pour la première fois, je pars de chez lui sans recevoir un *french* de cinq minutes. Un bec sec. Un mauvais présage...

Ça ne pouvait pas mieux tomber. Ma mère est à une de ses soirées-bénéfice et mon père est reparti ce matin pour Londres. Une chance qu'il me reste du pot. Je me roule un gros joint. Je m'installe au creux de ma balançoire refuge, recroquevillée sous ma couverture de laine. Je fume pour me geler, pour que ma peine arrête de gonfler. Engourdir le mal qui me gagne. Le temps est frais. Pour me réchauffer, je fais quelques allers-retours entre mon balcon et le bar de mes parents, au salon, pour voler de grosses gorgées de fort.

Ça y est, je suis dans ma zone préférée, mes pensées se mélangent sans me déranger. Je reste immobile jusqu'à ce que le froid ait raison de moi et je rentre me blottir dans mon lit.

Ce soir, je tombe comme une fleur sans eau.

— Maman ! Peux-tu me reconduire à l'école, ce matin, je me suis levée en retard ! hurlé-je, réveillant mes cordes vocales et… un mal de tête.

— Oui. Et pas besoin de crier si fort, Dorothée, je suis sur le même étage que toi, répond-elle en sortant de sa chambre, une pile de dossiers dans une main, son énorme valise dans l'autre, ce qui indique qu'elle a une journée interminable devant elle.

— Désolée, maman. On y va ?

J'arrive en retard d'une minute, donc je prends place à mon bureau une fois le silence fait dans la classe. Je ne sais pas comment agir avec Joe. La soirée d'hier est floue. Pourquoi m'a-t-il dit qu'il n'était pas au même stade que moi, point de vue engagement ? Il m'aime, où est le problème ? Qu'est-ce qu'il a vraiment voulu insinuer ?

— Salut, beauté, me lance Joe, comme pour me désarçonner.

— Salut, cro... euh... charmeur.

Merde ! J'ai failli dire « crosseur » ! Il hausse un sourcil, ce qui le rend hyper sexy, et se retourne avant que le professeur ne le réprimande. Steph me texte : « J'ai ma rencontre avec le comité, ce midi. Je ne t'ai pas oubliée, je vais demander que toi et Joe ayez une photo dans la page "Couple" de l'album. ☺ »

Ma mémoire me joue des tours. J'avais oublié que j'avais supplié Steph de faire cela. Est-ce que je me fie à mon instinct pour répondre ? Genre : « Non merci, Joe se fout de moi et on ne sera plus ensemble lorsque le bal aura lieu. Je sais qu'il va me laisser. C'est l'homme de ma vie, alors tu peux mettre ma photo dans une page intitulée "Cœur brisé à jamais". » Ouais... Je n'ai pas envie que Stéphanie se mêle de mes problèmes de couple aujourd'hui, alors je réponds seulement « cool », un autre mot passe-partout.

— Est-ce qu'on va manger au gymnase ? me demande Joe à la fin du cours. On va être tranquilles, c'est jeudi.

— Il fait soleil, pourquoi on n'irait pas dehors ? Steph et ton frère y vont.

— Bonne idée ! s'exclame-t-il en m'emboîtant le pas.

La conversation est moins fluide que d'habitude. Pour moi, en tout cas, car Joe est volubile. Il me flatte la joue, pige dans ma compote de pommes, m'offre un de ses biscuits au chocolat, que j'aime tant. Il me fait craquer à tous les coups. C'est l'homme le plus séduisant du monde entier ! Je retrouve mon sourire. Le soleil plombe, j'enlève mon veston de jeans, et ma blouse blanche flotte au vent. Le regard de Joe veut tout dire. Ça y est, il me veut tout entière.

— C'est fou, Do, avec ton sourire et ta blouse blanche, surtout avec ce visage charmeur, tes yeux mielleux, tu as des airs de Marilyn Monroe ! En plus mince ! Tu sais, comme dans la série de photos d'elle sur la plage. Il y a juste tes cheveux qui sont raides et moins pâles. S'ils étaient platine et bouclés…

— Oh… Monsieur est excité…, deviné-je. Si tu veux, je peux me trouver une perruque pour notre soirée romantique de demain soir.

— Je ne savais pas que nous avions une soirée romantique demain soir.

— Ça vient juste d'être prévu !

— Eh bien, je ne peux pas. C'est la fête de Bruno, et mon frère, des gars de l'équipe de hockey et moi, on part pour le week-end, à son chalet. Une vraie virée de gars !

Je fais la moue. Comment peut-il m'annoncer cela comme si de rien n'était ? Est-ce qu'il prend ses distances encore ? Pourquoi ne m'en a-t-il pas parlé plus tôt ?

Je regarde Stéphanie pour qu'elle réagisse à ses propos, mais, au lieu de s'insurger, elle se lève en même temps que Jeff, qui vient de la convaincre de jouer au frisbee. Une vraie gamine.

— Do, ne fais pas cette face-là, m'implore Joe, voyant ma déception. Tu devrais en profiter pour passer un peu de temps avec Steph. Elle m'a dit que tu n'étais pas allée voir un de ses matchs de ringuette depuis qu'on sort ensemble. Je suis certain que ça lui ferait plaisir, c'est le dernier de la saison, dimanche, termine-t-il, fier de sa suggestion qui ressemble drôlement à une manière de se débarrasser de moi pour les deux jours à venir.

— Ouin… J'aimerais mieux être avec toi.

Je suis sérieuse. Joe rigole.

— On est toujours ensemble. Voir ses amis en dehors de l'école, c'est sain.

— Tu as raison, acquiescé-je de ces trois mots qui me sauvent la peau quand je sens les larmes affluer dans mes yeux.

Je détourne le regard, ravale mon chagrin et lui fais finalement un sourire.

Non. Il n'a pas raison. Tout comme il n'avait pas raison, hier, de dire qu'il ne fallait pas penser au futur. Il devrait sauter sur l'occasion pour me présenter à ses amis que je ne connais pas. Un séjour dans ce chalet serait le moment idéal pour le faire.

Je me couche sur le gazon et fixe le ciel. Est-ce que nos étoiles sont désalignées ? Et si le destin avait changé de chemin ?

Je préfère ne pas penser pour le reste de l'après-midi. Je m'éclipse à la bibliothèque à la fin des cours. Joe ne m'a même pas proposé de m'accompagner, il m'a juste donné un bisou rapide avant de partir à pied avec Jeff. Un autre bec sans sentiment. Mais qu'est-ce que je vais faire de ma vie si je ne me marie pas avec lui ?

C'est assise au fond de la bibliothèque, en feuilletant la biographie de mon idole, touchant du bout des doigts ses photos, que je me rends compte que, si je ne reste pas avec Joe, j'ai un plan B, ma vie ne sera pas finie. Oui. La seule vie qui est au-dessus de celle partagée avec l'homme de ma vie, c'est celle d'une actrice populaire, admirée. Et, quand je serai au sommet de la gloire, il va regretter de s'être éloigné de moi.

J'arrive à l'école vendredi avec une robe ultramoulante. Mes talons hauts donnent à mes fesses une allure rebondie qui, je le sais, allume Joe. Je le laisse me regarder toute la journée, mais je me trouve des excuses à chaque pause et au dîner pour me sauver de lui. C'est une technique qui a fait ses preuves : plus je me sauve, plus il me court après.

À la sortie des classes, je veux le rejoindre et marcher avec lui. Je me dis que, si je lui fais une pipe, cachée quelque part sur le chemin du retour, il va peut-être changer d'idée et rester avec moi pour la fin de semaine. Pas de chance : j'entends des cris d'hommes de Cro-Magnon et je vois Joe qui m'envoie la main et des bisous dans les airs avant de sauter dans une fourgonnette, en compagnie de ses amis.

Je n'aurais jamais cru qu'il me quitterait comme cela. *Bip*. Un message texte de lui : « Bon week-end, ma belle blonde ! xox » C'est tout ? Ce n'est pas assez pour moi. Je vaux plus que ça.

Je marche d'un pas décidé vers la maison. Ma mère est encore absente; c'était à prévoir. Pour une fois, j'aurais voulu qu'elle soit là. Qu'elle me prenne dans ses bras. Je veux pleurer ma vie. Mon amour est parti. Mon cœur est anéanti.

Tant pis. Ce n'est pas la première fois que je suis seule. Allez hop! dans ma chaise. Fume et fume. Bois et bois. Je prends mon journal. Je n'y ai pas écrit depuis que je sors avec Joe. Ce soir, j'y vomis mes pensées.

Cher journal,

Pourquoi l'amour, c'est si souffrant? Pourquoi Joe m'a-t-il fait croire qu'il serait toujours là pour moi? S'il ne peut pas entrevoir un futur pour notre couple, à quoi bon gaspiller mon énergie à l'aimer?

Je n'ai pas besoin d'en écrire plus. La conclusion me saute aux yeux, me déchire de l'intérieur. Cette relation supposément parfaite m'empoisonne l'esprit. C'est évident: on ne veut pas la même chose. Les maudits gars qui ne veulent pas s'engager, je les hais tous. C'est fini. Je dois lui dire que c'est fini. Et tout de suite, par texto, je ne vois pas pourquoi je dépenserais de la salive. «Joe, je ne sais pas comment te dire cela, mais je me suis aperçue qu'on n'était pas faits pour être ensemble. On est trop différents. Tu n'es pas à la hauteur de mes attentes. Amuse-toi bien avec tes amis. Toi et moi, c'est fini. Tu m'écœures.»

Je regarde mon cellulaire comme on observe une éclipse. Ça me brûle les yeux. Devrais-je attendre une réponse ?

Ça sonne ! C'est déjà Joe.

— Allô, dis-je sèchement en décrochant.

— Je viens de recevoir ton texto. Est-ce que c'est une *joke* ? C'est quoi, tu veux gâcher ma fin de semaine avec les gars ?

— Non. C'est pas une farce. T'es célibataire. Fais ce que tu veux, je m'en fous, dis-je d'un ton qui ne trompe pas, même si je ne peux cacher le trémolo dans ma voix.

— Alors tu me laisses sur un coup de tête ? s'énerve-t-il. Comme quand tu es venue chez moi me surprendre et que tu m'as sauté dessus ?! L'impulsivité, ça va te jouer des tours. As-tu réfléchi, au moins ?

— Oui.

— Dorothée, ça fait trois semaines qu'on sort ensemble, tu sais que je t'adore, mais est-ce qu'on ne pourrait pas juste être un couple normal ?

— Normal ? me rebellé-je. Normal, c'est archidéprimant. Moi, je suis exceptionnelle.

Devant mon silence, il continue, plus calmement :

— On devrait être amis, aussi, pas juste amants. J'aurais dû rester le gars avec qui tu allais à la bibliothèque. Là, tu as tout gâché.

— C'est TA faute, tu as peur de l'engagement. En plus, tu m'as dit deux fois au party de Saint-Valentin que tu étais jaloux, que tu me voulais juste pour toi, et là, tu me laisses seule. Tu n'es pas celui que tu dis être.

— Tu délires avec tes histoires de gars jaloux… Et non, je n'ai pas peur de sortir avec toi, j'ai peur de toutes tes histoires de mariage, et surtout du sérieux avec lequel tu en parles. Tu es trop intense depuis qu'on sort ensemble. Tu as pris la bonne décision, c'est fini et c'est mieux comme ça.

— Va chier, Joe Perron, lui crié-je avant de raccrocher.

J'envoie de toutes mes forces mon cellulaire contre le mur.

Je fonds en larmes. Je me traîne à quatre pattes pour récupérer la pile et les deux pièces de mon téléphone. Je l'assemble en gémissant.

Je crie le plus fort que je le peux. Ça fait du bien, mais ce n'est pas assez. J'ai mal. Très mal en dedans.

J'angoisse. Je n'en peux plus, de pleurer seule dans ma chambre, maudissant le monde.

Quoi faire, maintenant ? Bon, je ne dois pas rester seule. Je vais aller chez Steph. Je ne l'appellerai pas. Je ne veux surtout pas qu'elle me dise qu'il est trop tard et qu'elle ne peut pas me recevoir. C'est tout de suite que j'ai besoin de réconfort.

Il y a urgence. Je vais emprunter une auto de papa. Je reluque la Porsche, celle dans laquelle j'étais assise avec Stéphanie le soir du jour de l'An, là où j'ai souhaité de tout mon cœur sortir avec Joe. Je suis aussi rouge que l'automobile, mais de rage. J'en agrippe les clés et, une dizaine de pas plus tard, j'en fais gronder le moteur. Je me fous de ne pas avoir mon permis. Je sais conduire, papa me l'a enseigné, et il me laisse garer les autos. S'il était chez lui, j'irais tabasser Joe. À la vue de sa maison, j'enfonce la pédale d'accélérateur et je m'élance sur le boulevard.

Tut ! Tut !

Une auto vient de me klaxonner. Oh non ! Je viens de brûler un feu rouge. Mon cœur bat la chamade. Qu'est-ce que je fais ? J'aurais pu avoir un accident et mourir. Est-ce que je serais mieux morte que détruite par l'amour ? Vite, je dois chasser ces pensées cruelles qui me font peur. Je fais demi-tour dans la première entrée que je vois. Je ne peux pas me rendre chez Steph. Ma concentration n'y est pas. Et puis… Félix, il va m'arrêter. Je suis en état d'ébriété. La vache, je dois me sortir de ce pétrin.

Quoi ? La porte du garage était restée ouverte ? J'ai bien fait de revenir. J'immobilise l'automobile à l'endroit précis où je l'ai prise, sans comprendre comment j'arrive à manœuvrer de la sorte. Sortir du véhicule me fait l'effet d'une douche glaciale, puis je prends conscience de la situation… qui n'a pas de sens. Conduire n'est pas une option.

Un taxi ? Non. Je ne veux voir personne que je ne connais pas. Je ne veux pas non plus attendre avant de bouger. Ma tête bourdonne. Mes idées tourbillonnent. Je trébuche sur la marche du garage. Je vais dans la cuisine. Je reviens sur mes pas. Appeler Stéphanie ? Non. Si je lui téléphone et qu'elle me propose de déjeuner demain pour en parler, je vais péter ma coche.

Ça recommence, ma gorge se serre, je respire mal, je dois bouger, car, immobile, j'ai l'impression de mourir, et être enfermée dans la maison me donne le sentiment de creuser ma tombe. Je vais y aller à pied. Au diable si je dois marcher quarante-cinq minutes. C'est le seul moyen de me déplacer qui convient à mon cerveau qui vagabonde et à mon âme qui a le nouveau statut d'itinérante.

À chaque pas, je laisse derrière moi un souvenir de mon amour. Chaque coin de rue me libère de ma rage intérieure.

Je dégrise. Je souffle. Je suis plus forte que ça. Je me parle pour me convaincre.

Je suis forte. Je suis tenace. Je suis maître de mon destin. J'arrête de pleurer pour que mes yeux sèchent et dérougissent. J'ai le contrôle de mes émotions.

Me voilà rendue dans la rue de Steph. C'est le temps de l'appeler.

— Salut, Do ! lance-t-elle après avoir décroché.

— Je suis contente que tu ne dormes pas, dis-je, soulagée.

— Il est juste vingt-deux heures. J'écoute un film avec Félix. Toi ?

— Je suis devant la porte d'entrée, peux-tu venir m'ouvrir ?

— Cool ! Une surprise ! J'arrive.

Je sais que ma meilleure amie va me soutenir. Je ne suis plus seule. Quel soulagement ! Je vais tout lui raconter. Et lui, ce Joe que je croyais connaître, je vais lui faire regretter de m'avoir fait croire à l'amour.

CHAPITRE 12
LE PRINTEMPS DES CHANGEMENTS

Stéphanie

— Félix, appuie sur Pause deux minutes, je vais ouvrir à Do, elle est à la porte.

— OK, mais grouille. Si vous jasez plus de dix minutes, j'écoute la fin tout seul, me dit mon frère sur un ton râleur.

Qu'est-ce qu'il y a dans l'air, aujourd'hui ? Do arrive à l'improviste et mon frère bougonne. J'espère que mon amie est de bonne humeur, parce que mon plan pour ce soir et pour le reste du week-end, c'est de m'occuper de moi. C'est mon dernier match de ringuette de la saison et j'ai l'intention d'en profiter.

— Do ! Belle surprise ! Tu es venue comment ?

Elle me répond qu'elle a marché, question de se remettre en forme, ce qui me met la puce à l'oreille, car elle n'a jamais marché jusque chez moi avant ce soir.

— Viens, Félix est grognon et il ne veut pas attendre pour continuer le film, indiqué-je, contente de la voir, mais pressée de regarder la fin du long métrage.

— Oh… je croyais qu'on allait jaser ensemble, j'ai un superpotin, me lance-t-elle, sans réellement me prendre par surprise.

Un classique, avec ma meilleure amie. Je me retrouve devant un dilemme : laisser ou non tomber mes plans pour embarquer dans les siens. Mais Do pique ma curiosité. Je crie :

— Félix ! Tu peux continuer le film, on va potiner entre filles.

On se sauve aussitôt dans ma chambre, beaucoup moins spacieuse que celle de Do, mais très confortable. Il y a d'immenses coussins au sol où se blottir. D'ailleurs, c'est toujours là que Do finit par s'endormir.

— Vas-y, je t'écoute.

— C'est fini avec Joe. J'ai cassé, m'annonce une Dorothée bien au-dessus de ses affaires, vu les circonstances.

— Quoi ?!

C'est quoi, cette histoire ? Ils étaient un couple ce midi et ce soir c'est fini ? Mais il n'est même pas là. Jeff m'a dit que Joe partait avec lui et la gang de gars pour la fin de semaine.

— Quand est-ce que c'est arrivé ? Es-tu OK ?

Fait encore plus bizarre, Dorothée ne pleure pas. Elle me regarde – sans aucun signe de détresse ni d'un comportement théâtral – et commence son explication :

— Tu sais, Steph, durant la dernière semaine, Joe m'a lancé des messages subtils et j'ai compris qu'on n'était pas faits pour vivre ensemble. J'ai réellement cru que c'était l'homme de ma vie. Mais le gars avec qui je vais passer le reste de mes jours, ce n'est pas un gars qui va m'abandonner pour aller s'enfermer dans un chalet et fêter avec sa bande de joyeux lurons.

Ce doit être une blague, elle ne peut pas l'avoir laissé pour cette raison.

— Do, es-tu sérieuse ? Je trouve que tu exagères… Jeff est parti avec lui et ça ne veut pas dire qu'il me laisse tomber, lui fais-je remarquer.

— Ah non ? s'écrie-t-elle, remettant en question ma relation avec Jeff, ce qui ne me fait pas plaisir. Il va manquer ton dernier match de la saison, tu ne trouves pas ça ingrat de sa part ?

— Non, il m'a souhaité une bonne partie, et puis il a assisté à presque tous mes matchs durant le dernier mois…, me justifié-je, tout en prenant conscience que je n'ai aucune raison de le faire, ce qui me frustre.

— On ne pense pas pareil, c'est tout. Pour moi, c'est définitif, je ne veux plus rien savoir de Joe. Je ne veux plus prononcer son nom. Il a le titre d'ex à partir de maintenant.

Je ne sais pas quoi répondre. Je ne veux pas embarquer dans les histoires de Do, pas ce soir.

— C'est demain ou dimanche, ton match ? me demande Dorothée, changeant de ton comme de sujet, mettant sa récente et surprenante séparation sur la glace.

Je suis subjuguée par l'absence de signes de tristesse ; je perçois seulement un peu de colère dans la voix de ma meilleure amie.

— Demain, je m'entraîne. C'est dimanche, la partie.

— Génial ! Je vais m'entraîner, moi aussi. Penses-tu que Félix pourrait me faire un programme ?

— Oui, et je suis certaine qu'il en serait ravi, dis-je en me levant pour me diriger vers la salle de bain.

Je me brosse les dents, pensive. Je ne saisis pas ce qui vient de se passer, encore une fois. Je pourrais appeler Jeff, mais je ne veux pas en faire toute une histoire. Je sais que mon chum va parler à son frère et qu'il m'appellera à son retour. Je sais aussi que ce n'est pas la première fois que ma meilleure amie est imprévisible, voire incompréhensible. Après tout, elle semble en paix avec son choix, et je me dis que c'est ce qui est important en ce moment.

— Do, je voulais te dire que…

Je m'arrête en la voyant assoupie, recroquevillée. Elle dort… déjà. La marche doit l'avoir épuisée. Et puis tant mieux, parce que, si elle veut me suivre demain à l'entraînement, elle aura besoin de toutes ses forces.

Je ne sais pas si c'est l'ombre de la fin du secondaire ou si c'est le printemps, mais les choses changent à un rythme fou. Nous voilà à la fin de mai. En un mois, ma meilleure amie a retrouvé sa taille de quatrième secondaire ! La bonne humeur est revenue en force depuis sa perte de poids. Ce soir, on planifie la phase deux de notre entraînement. Je suis au paradis, parce que je m'entraîne avec ma meilleure amie et qu'elle m'aide à faire mes devoirs. Pour une fois, notre relation d'amitié est donnant donnant. Et Jeff… il me fait toujours autant d'effet. Plus je le regarde, plus je le trouve beau. Quand il plante ses yeux dans les miens, ça vient me chercher loin ; je pense que c'est ça, avoir des papillons dans l'estomac. Par contre, je n'en parle pas vraiment à Do, car elle trouve toujours un petit commentaire désagréable à faire, comme : « Attention, Steph, Jeff est le jumeau de Joe, ils sont pareils et il pourrait te briser le cœur, à toi aussi. » J'ai osé une seule fois lui reparler de sa rupture, mais ça ne s'est pas bien passé. Selon Dorothée, je ne peux pas comprendre parce que je n'ai pas vécu la même chose qu'elle. Elle clame toujours et encore que sa relation amoureuse était très différente de la mienne.

Justement, le terme « différent » est le point central dans cette histoire. Je vois Joe régulièrement chez les Perron, et il trouve qu'il y a une bonne différence entre ce que Dorothée raconte et sa propre version de l'histoire. Il est triste qu'elle ne réponde pas à ses messages. Il a essayé de lui parler, mais Do est complètement fermée. Il a fini par dire qu'elle était trop intense, surtout depuis qu'ils ne sortent plus ensemble. Elle l'ignore à l'école. Joe, Jeff et moi, on n'y comprend rien.

Mais, de mon côté, l'important, c'est que je voie mon amie heureuse et bien dans sa peau. Du moins, c'est ce qu'elle dégage.

— Salut, Félix! crie Dorothée en poussant la porte à notre retour de l'école. On est prêtes pour ta supersession de musculation, lui annonce-t-elle, parlant en nos deux noms.

Dorothée est si souvent chez moi qu'elle ne se gêne plus avec mon frère, elle le réclame deux secondes à peine après être entrée dans la maison. Félix m'a même dit qu'elle s'était confiée à lui après sa rupture. Ce n'est pas à moi qu'elle aurait avoué trouver la vie d'adolescente compliquée, parce que, depuis l'histoire avec Joe, même si on s'entraîne souvent ensemble, il y a une distance perceptible entre nous deux, un non-dit qui fait que, justement, on s'en dit moins. Mais mon frère a une bonne oreille, et une manière de rationaliser les choses qui rassure tout le monde, même moi.

— J'arrive, les filles. On s'en va au parc. Mettez vos souliers de course.

J'attends Do (qui refait probablement sa queue de cheval et retouche son look de sportive devant le miroir pour la énième fois) dans la cuisine et Félix m'observe d'un drôle d'air.

— Qu'est-ce que tu regardes comme ça, Félix?

— Ne le prends pas mal, mais il faut que je te dise quelque chose, de grand frère à petite sœur, précise-t-il.

Du regard, je l'incite à parler.

— Je suis super content pour toi, pour Jeff et tout, vous êtes beaux ensemble et c'est trop mignon de voir ma sœur amoureuse, mais… tu devrais faire attention quand tu parles du bal devant Do, me conseille-t-il, ne se mêlant pas de ses affaires.

— Pourquoi ? Elle s'en fout, du bal, et elle est heureuse pour moi, réponds-je, irritée à l'idée de devoir encore une fois m'abstenir de démontrer ma joie.

— Je pense le contraire. Personne ne se fout de son bal des finissants, m'assure-t-il. Je l'ai vu dans ses yeux, hier. Tu parlais de la couleur de ta robe, qui s'accorde avec celle du smoking de Jeff. Elle avait l'air triste.

— Non, je ne vais pas contenir ma joie. Mon bonheur ne devrait pas faire chier Dorothée et ce n'est pas juste, ce que tu me demandes. Pour une fois que c'est à mon tour de vivre un moment de princesse ! lancé-je, laissant pour une première fois la frustration causée par cette situation m'échapper.

Sans me retenir, je continue de vider mon sac à Félix.

— Elle est *up and down*. Un jour, c'est blanc, le lendemain, c'est noir. Dorothée aime Joe depuis longtemps et, tout à coup, elle le déteste. Tu ne te demandes pas pourquoi elle n'est pas comme tout le monde, toi, le fin finaud qui suit des cours de psychologie et qui accorde un peu trop d'importance à mon amie à mon goût ? Quand il s'agit de la belle Dorothée, il faut toujours que ce soit un drame ou l'événement du siècle. Je suis tannée de la supporter. J'en ai marre de ses histoires rocambolesques ! crié-je. Et puis, si Do n'avait pas capoté avec Joe, ils seraient encore un couple aujourd'hui et on pourrait être contentes ensemble pour le bal. Selon Jeff et son frère, il n'y a rien dans son histoire qui concorde avec celle de Joe…

— Tu peux penser que j'ai capoté, Steph, m'interrompt celle qui me met dans cet état-là. Je vais te le répéter : peut-être que tu ne peux pas piger pourquoi, mais j'ai eu le cœur brisé et, depuis, je fais tout pour me remettre en forme. Alors *go*, on va s'entraîner, annonce-t-elle, la voix posée, avant de tourner les talons en direction de la porte.

Encore une fois, je ne sais pas quoi dire. Devrais-je m'excuser ? Elle qui méprise mon Jeff à tout bout de champ, elle ne semble jamais désolée de son comportement. Je n'arrive pas à me sentir mal d'avoir dit haut et fort ce que je pense, pour la simple et bonne raison que cette situation commence à me peser.

On sort tous les trois, et on commence le jogging. Félix entre nous deux. L'entraînement dure soixante-quinze minutes et la seule personne qui parle, c'est Félix. Il nous fait suer à nous faire tordre nos vêtements.

Couchée sur le gazon devant la maison avec mes partenaires de course, exténués, je constate mon épuisement. Je ne pensais pas que je pourrais être aussi fatiguée en faisant de la musculation sans poids. Mon frère connaît des techniques d'entraînement intenses. Je sens que ma frustration s'est évaporée. Le sport est un réel exutoire. J'espère que cela a eu le même effet sur mon amie, qui fait toujours comme si je n'avais rien dit plus tôt.

— Bravo, les filles ! Vous êtes *hot* ! nous félicite mon frère. Vous allez finir votre secondaire comme des bombes. En grande forme !

— Oui, répond Do d'une petite voix.

— Est-ce que ça te stresse, la fin du secondaire, Dorothée ?

Je ne peux pas croire que mon frère vient de lui demander ça. Il me dit de faire attention et lui, il plonge directement dans le sujet.

— Non, pas en ce qui concerne les résultats scolaires… mais ne pas avoir de cavalier pour le bal, ça me rend triste. Je n'ai pas le goût d'y aller seule ; j'ai tellement rêvé à cette soirée, je ne veux pas la manquer, répond sincèrement Do.

Mon frère me regarde et se retourne ensuite vers la belle blonde étendue à ses côtés.

— Qu'est-ce que tu dirais que je t'y accompagne? J'ai encore le smoking de mon bal d'il y a trois ans!

Aussitôt proposée, l'offre est acceptée!

J'ai la berlue.

Ça y est. Do est la reine de la journée. Elle va aller au bal avec mon frère et je parie qu'elle va faire sa fraîche parce qu'elle sera accompagnée par un gars plus vieux. Elle va certainement tout mettre en œuvre pour le charmer. En même temps, c'est sympa de la part de Félix et, dans le fond, ça règle un de mes problèmes: le sujet du bal est classé.

— C'est cool, ça. Tu es un vrai gentleman, fais-je remarquer à mon frère, mi-amère.

— Merci, Félix. C'est super gentil, conclut Do avant de lui donner un petit bisou sur la joue.

Au même moment, Suzanne arrive. Sa fille se lève et elles repartent aussitôt. Elles nous envoient la main avant de disparaître au coin de la rue.

— J'aurais aimé que tu m'en parles d'abord, Félix, mais c'est OK. Vraiment, ça va être cool que tu sois à mon bal, tu vas pouvoir prendre des photos.

Je le taquine. Et je rumine…

CHAPITRE 13
LE BAL

Dorothée

Une avocate, ça négocie fort. Ma mère m'a appris dès mon plus jeune âge à préparer mes arguments quand je veux obtenir gain de cause. Je me croise les doigts et je me lance avec autant de conviction que d'excitation dans la voix.

— Maman, tu sais que je rêve à mon bal des finissants depuis toujours et, après tous les événements des derniers mois, commencé-je, prenant bien soin de laisser quelques secondes de silence pour que ma mère se remémore les incidents qui ont chamboulé ma vie – miniépisode dépressif, attaque de panique, chicane avec ma meilleure amie, amour, peine d'amour –, je sens vraiment que c'est la soirée qui va boucler la boucle. J'ai fait de gros efforts pour terminer l'année scolaire en beauté. Il y a un mois, j'ai commencé à m'entraîner ; mes absences de l'école n'ont en rien affecté mes notes finales, grâce à ma persévérance, précisé-je avant d'ajouter l'argument qui touche la corde sensible maternelle, et on ne s'est pas chicanées. L'harmonie règne dans la maison, papa ne s'inquiète plus, tu pars le rejoindre la tête tranquille, pas vrai ?

— Hum hum, me concède maman. Mais où veux-tu en venir, ma belle fille ? Qu'est-ce que tu veux me demander ?

— Je suis un peu gênée parce que je rembourse encore ma dette, mais, puisque c'est une occasion vraiment spéciale, qui arrive une fois dans une vie, est-ce que ce serait possible de débloquer un petit budget ? Tu pourrais tout faire avec moi, superviser mes dépenses, tenté-je pour la rassurer. J'aimerais aussi changer de tête un peu, me faire poser de faux ongles, mettre le paquet !

— Dorothée, tu parles d'une petite métamorphose pour l'occasion ou d'un changement majeur ? As-tu une idée de ce que tu souhaiterais ?

— J'ai une thématique ! déclaré-je, souriante comme dans une publicité de dentifrice.

— Tu piques ma curiosité.

Je déballe mon plan. Ma mère n'aime pas l'idée d'emprunter le style d'une autre personne, alors elle hésite longuement avant d'accepter que je me transforme en Marilyn Monroe pour une soirée (j'ai insisté en lui disant que c'est une inspiration, pas une incarnation). Elle a fini par comprendre que j'ai besoin de changement et de vivre le bal à ma manière.

Ma gentille, compréhensive, extraordinaire maman me propose d'abord de faire mes préparatifs avec Stéphanie, mais je réclame une activité mère-fille. Ça me fait plaisir, mais la vraie raison, c'est que Steph se prépare avec son chum. Cette décision est venue naturellement, un peu comme la distance qui s'est installée entre nous depuis ma rupture avec Joe, et en raison de l'étalement de son opinion sur moi. Ça ne nous a pas empêchées de nous entraîner ensemble, mais, le niveau de confidence n'étant plus le même, ç'a influencé notre amitié, bien qu'aucune de nous deux ne l'ait jamais mentionné. Par contre, nous partirons tous dans la même voiture, Stéphanie, Jeff, Félix et moi.

Pour notre « virée beauté », comme maman se plaît à l'appeler, nous commençons par le salon de coiffure. Je me fais faire des tas de mèches blanches, dans mes cheveux blond naturel. Un look hollywoodien, a spécifié le coiffeur. Je les fais couper aussi. Pas court ; aux épaules. Juste assez pour que la coiffeuse, le soir du bal, me boucle les cheveux – en secret, j'espère que Joe reconnaîtra l'allure des photos qu'on regardait dans le gros livre à la bibliothèque. Notre journée mère-fille continue avec le magasinage de LA robe, et maman se laisse même convaincre de m'acheter des souliers à talons hauts blanc brillant. Je n'ai pas dit à Steph quelle robe j'ai achetée, je n'ai pas non plus voulu savoir comment serait la sienne. J'ai insisté pour que ce soit une surprise.

Je veux faire un coup d'éclat. Félix portera un smoking noir et blanc.

Ce sera parfait. Ce sera une soirée parfaite.

— Dorothée, tu es magnifique, observe maman, émue. Je trouve ton rouge à lèvres un peu trop voyant, mais, avec ta robe blanche et tes talons hauts scintillants, c'est féerique ! Si tu souhaitais reproduire le style de Marilyn Monroe, c'est réussi ! Viens, on va appeler ton père avec Skype, il est impatient de te voir, j'en suis certaine.

Mes parents me félicitent. Et mon père et ma mère versent une larme parce qu'ils n'en reviennent pas que mon secondaire soit terminé. Je crois qu'ils en ont presque autant arraché que moi, cette année.

— Arrêtez de pleurer. Je ne voudrais pas que mon maquillage coule… Je suis aussi émotive et fébrile que vous. Mon amie et mon cavalier vont arriver d'une minute à l'autre. Bye, papa, je t'aime.

Mon père m'envoie un câlin via le petit écran de la tablette. Aussitôt l'appel terminé, ma mère commence à me donner ses instructions sur l'entretien des plantes de la maison, question de couper sec l'émotion, j'imagine.

— Maman, tu m'as déjà tout expliqué et tu l'as écrit. En plus, la femme de ménage vient une fois par semaine.

— Oui, c'est vrai, Dorothée, tu as raison. Je suis juste un peu nerveuse à l'idée de te laisser seule à la maison durant trois semaines, répète-t-elle pour la je ne sais combientième fois.

— Arrête de paniquer, parce qu'on va se chicaner. Moi, je m'en vais au bal; toi, tu pars en voyage rejoindre papa pour les vacances. On se revoit dans trois semaines, récapitulé-je avant d'ajouter fermement: Tu me stresses, là.

— OK, j'arrête. Je veux te dire une dernière fois combien je te trouve ravissante et que je suis fière de toi.

— Merci, maman, réponds-je pour clore cet au revoir empreint d'émotions, un peu trop à mon goût.

Le cœur débordant de fierté, je monte dans la limousine. Je suis étonnée de constater que Joe est dans la longue automobile, non accompagné. Mon plan tombe à l'eau. J'avais prévu qu'il me verrait arriver au bal au bras de Félix. Tant pis.

Tous me regardent, incrédules. Steph n'en revient pas de la métamorphose, elle n'a pas besoin de le dire, c'est écrit dans les lignes de son front tout plissé par la surprise. J'entends Jeff lui dire dans l'oreille: « C'est beau, mais c'est pas l'Halloween. » Il est méchant. Je le déteste. Mais ô combien je perçois de jalousie dans sa méchanceté ! Il est jaloux parce qu'il voudrait être avec moi, puisque je suis mille fois plus belle que Steph. Vite. Je chasse ces idées de ma tête et j'enclenche l'opération « rendre Joe jaloux ». Je veux qu'il paie le mal qu'il m'a fait. La peine qu'il m'a causée. Le fait d'avoir trompé ma confiance. Alors, je fais comme si de rien n'était, je me colle sur mon cavalier durant le trajet. Félix ne résiste pas à mes rapprochements. Il me trouve belle. Je le vois dans ses yeux. Je suis probablement la fille la plus belle avec qui il a jamais passé une soirée.

Un vrai moulin à paroles tout au long du souper. Je vole la vedette, je fais rigoler mes comparses. Stéphanie embarque dans mes histoires et Félix en rajoute. Joe et Jeff se sont levés de table plusieurs fois pour aller jaser avec les autres finissants, mais, peu importe où il se trouve dans cette grande salle de bal, je surprends Joe à m'observer. Je suis enchantée de le voir me regarder ainsi. Je saisis l'occasion d'un *slow* pour me presser encore plus contre mon cavalier. C'est à ce moment-là que Joe vient me demander de danser avec lui. Tout de suite, Félix lui accorde ma main.

Sans dire un mot, je danse avec celui que j'ai cru être l'homme de ma vie. Il se colle. Il me donne envie de fondre dans ses bras. J'ai les larmes aux yeux. J'aimerais tant être avec lui. Il me susurre à l'oreille :

— Tu es la plus belle fille ici, ce soir. J'aurais vraiment aimé t'accompagner au bal.

Il me confie aussi qu'il aurait voulu que nous deux, ça continue. Je suis prise au dépourvu, même si c'est exactement ce que je souhaitais entendre. Seulement, je n'avais pas prévu ma réaction. Il y a un tel désir qui jaillit en moi…

— Suis-moi, Joe, je veux que tu me fasses l'amour dans un coin de l'hôtel, déclaré-je, la sensualité possédant chacun de mes mots.

Il recule sa tête et me regarde dans les yeux. Ses yeux dans les miens. L'arme infaillible. Ça y est, il va poser un genou par terre et me demander en mariage.

— Ce n'est pas le moment. On pourrait s'appeler dans les prochains jours et passer du temps ensemble, cafouille-t-il, ses paroles me faisant l'effet d'un coup de couteau dans le dos.

Mon désir vient de se transformer en rage. Je n'ai plus rien à faire ici. Je repousse celui dont je ne veux plus jamais prononcer le nom. Cette fois, je le jure.

— Félix ! Je veux partir, ordonné-je, agitée.

Après tout, il est minuit passé. Mon cavalier se charge d'aller dire à sa sœur qu'il va me raccompagner et j'envoie un salut de la main à mon amie, au loin, par politesse. Je m'organise pour que Joe me voie quitter le bal avec Félix, qui, galant, met sa main autour de ma taille quand nous partons.

Aussitôt assis dans l'auto, Félix me demande si ça va, et c'est à ce moment précis que je commence à pleurer. Les larmes abondent.

— Qu'est-ce qui peut bien te faire pleurer ainsi ?

— C'est Joe. Il ne veut pas de moi. Il ne veut plus de moi. Personne ne voudra plus jamais de moi.

— Ce n'est pourtant pas l'impression que Joe m'a laissée en t'invitant à danser. Il avait plutôt l'air de te trouver hyper belle avec ton look à la Marilyn ! lance-t-il, visiblement pour me remonter le moral.

Félix ne comprend pas. Personne ne me comprend.

Une fois parvenus à destination, Félix m'offre de m'accompagner à l'intérieur, pour s'assurer que je suis correcte à la maison, sans mes parents. Je n'ai pas la force de refuser, et puis j'aimerais bien un peu de compagnie pour fumer un joint.

J'ai surtout le goût que quelqu'un écoute tout ce que j'ai à dire.

On s'assoit sur la véranda. Je lui offre une bière. J'en prends une aussi. Quand j'allume le joint, il me regarde, surpris. Il ose même passer un commentaire sur les effets néfastes de la drogue et sur son illégalité. Il a mal choisi son moment. Je me fâche contre lui. Je lui dis que je le croyais plus *hot* que ça. Que le super grand frère de ma meilleure amie n'est pas celui que je croyais. Il se résigne au silence, ne prenant même pas la peine de décapsuler sa bière.

Debout, je pleure, je crie et je fume mon joint. Félix est toujours là. Il écoute. Il me regarde. Quand il se lève, je suis certaine qu'il va m'abandonner lui aussi. Il entre dans la maison et, à ma grande surprise, revient avec un verre d'eau et des papiers-mouchoirs.

— Viens t'asseoir, Dorothée, je t'en prie. J'ai le goût que tu me racontes ce qui te fait tant de peine. Sincèrement, ajoute-t-il. Je veux savoir ce qui t'enrage comme ça. Ce n'est pas bon de garder ça en dedans.

Je n'ai aucune intention de m'asseoir. Je ne tiens pas en place.

— Je ne vois pas pourquoi tu m'écouterais. Il n'y a personne qui me comprenne. Mon «adolescence», comme tout le monde dit, eh bien, ça me fait dérailler. Je hais le monde, si tu veux vraiment le savoir. Et le monde me hait aussi. Tu vas voir: toi, quand tu vas partir d'ici, tu vas te dire que je suis une vraie folle. Eh bien, tu sais quoi? Je suis folle. Tout le monde me répète que je suis intense. Oui. Mais, au moins, moi, je profite de ma jeunesse. Parce que, si c'est à ça que ça ressemble, la vie d'adulte, je ne veux pas en devenir une. J'aimerais ne jamais avoir dix-huit ans. Steph va m'en vouloir d'avoir quitté le bal sans elle. De ne pas être restée à cette soirée à laquelle on a tant rêvé. Et Joe ne va pas m'appeler dans les prochains jours. Je suis sûre qu'il pense qu'on est en train de s'envoyer en l'air, toi et moi. Pis, même si ce n'est pas le cas, je sais qu'il ne voudra rien savoir de moi après ce soir, parce que…

— Dorothée, m'interrompt Félix.

J'en profite pour reprendre mon souffle.

— Est-ce que tu as bu au bal ? me demande-t-il avec un calme provocant.

— Quoi ? hurlé-je, incapable de contrôler ma démence. Non. Non. Non. Pas d'alcool au bal des finissants, monsieur l'apprenti policier, répliqué-je ensuite.

— Et as-tu pris de la drogue à part le joint que tu viens de fumer ? ose-t-il.

Je lui garroche un gros et gras « non » par la tête. Il me regarde. Je devine ses pensées.

— Je te l'avais dit. Ça t'a pris juste quinze minutes pour te rendre compte que je suis folle, lui fais-je remarquer.

— Non. Je te connais depuis trop longtemps, affirme Félix. Mais je dois t'avouer que je ne t'ai jamais vue comme ça. Fâchée. Triste. Je dirais même un peu mélangée, ajoute-t-il doucement, pesant ses mots.

Steph fait irruption dans la cour arrière. Elle arrive sur le patio et se dirige droit vers moi, qui pleure toujours. Mais qu'est-ce qu'elle fout là ? Elle vient me serrer dans ses bras. Là, je ne comprends plus rien. Elle m'explique que Félix l'a textée pour lui dire que je ne me sentais pas bien et que ma meilleure amie serait plus que bienvenue.

— J'ai gâché ton bal, Steph. J'ai tout gâché. Je ne suis bonne à rien, culpabilisé-je.

Je me remets à pleurer. De gros sanglots. Des larmes de tristesse profonde, cette fois.

Je leur ordonne de s'en aller. Je veux être seule.

Steph et son frère se regardent, mais ne bougent pas.

— On ne peut pas partir et te laisser comme ça, soutient Félix, brisant le silence.

— Comme quoi ? le défié-je pour qu'il mette des mots sur ma déchéance.

— Tes propos ne sont pas cohérents. Je te dis que je suis certain que Joe t'aime bien, qu'il veut te revoir. Ma sœur est ici et elle te dit qu'elle est encore ta meilleure amie. Et toi, tu ne la crois pas. Tu ne nous écoutes pas. Ce n'est pas toi, ça. Et ce n'est pas toi de crier à tue-tête, ajoute-t-il.

— Justement ! Fichez-moi la paix si vous ne voulez pas de moi ! Ahhhhhhhhhhhhhh ! hurlé-je en retirant mes souliers l'un après l'autre avant de les leur lancer en plein visage.

Hystérique, j'entre dans la maison et je monte à l'étage. Alors que je comptais aller m'enfermer dans ma chambre, j'arrête à la dernière marche de l'escalier et je m'effondre. Je pleure en boule, en silence. Muette soudainement. Constatant l'horreur de mon désarroi.

J'entends Steph et Félix entrer dans la maison. Félix pose plein de questions à sa sœur. Je les écoute sans vouloir entendre ce qu'ils ont à dire. Steph raconte que j'ai toujours eu des sautes d'humeur, plus intenses depuis les six derniers mois, mais jamais autant que ce soir. Que tout ça, selon elle, est devenu compliqué quand j'ai été certaine que Joe était l'homme de ma vie. Elle a toujours trouvé étrange que ma version de l'histoire avec Joe et celle que Jeff lui racontait ne collent pas. Ça me fait mal de les entendre, mais, en même temps, ça me confirme que je suis vraiment en train de devenir folle. Ça me confirme surtout que personne ne saisit l'ampleur de mon désastre intérieur.

Stéphanie vient à ma rencontre. Je l'observe avec méchanceté. Ses propos m'ont blessée. Elle regarde son frère, au pied de l'escalier, et passe à côté de moi pour aller dans ma chambre. Elle revient avec un coton ouaté et des leggings et me supplie de venir coucher chez elle.

Je n'ai pas la force de dire non.

J'ai peur de moi.

Dans l'auto, Félix conduit lentement. Tente-t-il d'amortir le choc des événements ? Je pleure sur la banquette arrière. Steph n'arrête pas de se retourner et de me demander ce qui me fait pleurer. Je ne sais pas. Je ne sais plus. Je lui crie que je ne le sais pas.

Pourquoi les avoir écoutés ? Je ne veux pas entrer dans leur maison. Je ne sais même pas pourquoi je les ai suivis. Je ne me rappelle plus. Je suis perdue. Il y a leurs parents. Je ne veux surtout pas qu'ils me voient dans cet état. Ils appelleraient sans aucun doute les miens. Steph descend de la voiture après avoir échangé un regard complice avec son frère. Moi, je reste collée sur le banc arrière, et Félix demeure aussi dans l'auto. Il me regarde dans le rétroviseur. L'air le plus sérieux du monde, il me demande :

— Veux-tu que je t'emmène à l'hôpital, Dorothée ?

— Pourquoi ?

— Eh bien, parce que toute cette peine, ce n'est pas si normal que ça… et tu m'inquiètes quand tu dis que tu penses devenir folle. Je vois bien que tes tourments dépassent les limites de l'endurance.

Ça y est, je pleure encore.

— Tu crois qu'à l'urgence on pourra me dire si oui ou non je suis folle ?

Suis-je réellement en train de considérer l'offre de me rendre à l'hôpital volontairement ?

— Je ne sais pas, m'avoue-t-il, mais on va peut-être pouvoir t'aider. Ça vaut la peine d'essayer.

— OK.

— OK ?

Il n'a pas l'air sûr de me croire.

— Tout de suite, avant que je change d'idée. On n'attend pas Steph et tu me jures de ne le dire à personne. Je ne veux pas que tout le monde sache que je suis folle pour de vrai.

Félix attend patiemment avec moi. Après m'avoir questionnée sur une multitude de sujets, l'infirmière au triage m'a dirigée vers une petite pièce où je dois attendre. Est-ce qu'on m'isole volontairement de la salle d'attente de l'urgence ? Est-ce simplement parce que c'est une nuit calme ? Suis-je un cas prioritaire ? C'est la guerre intérieure et je dois m'armer de patience.

Félix est assis sur la chaise en bois, et moi, je suis recroquevillée dans le petit lit, les genoux sous mon chandail. Je ne sais pas quoi penser. Je ne veux plus être ici, mais retourner chez moi n'est pas une option. Et c'est le début de la fin, car une autre infirmière entre, m'annonçant qu'elle assure le relais entre les patients admis à l'urgence et les médecins de son département. Mes oreilles bourdonnent. Son service ? La psychiatrie. Vont-ils confirmer ma folie cette nuit ? Est-ce si facile de voir que je suis pourrie à l'intérieur ?

— Dorothée, je vais te laisser avec l'infirmière, je serai juste de l'autre côté de la porte, m'informe Félix.

— OK.

OK. OK. OK. Ça va aller. Non. Oui. Depuis quand je ressens cette peine ? Combien de temps suis-je sortie avec Joe ? Quel genre de peine d'amour ai-je vécu ? Pourquoi Marilyn Monroe ? Ai-je eu une enfance heureuse ? Des traumatismes ? Comment décrirais-je ma relation avec mes parents ? Mes relations d'amitié sont-elles saines, durables ? Est-ce arrivé que je fasse des dépenses folles ? Des gestes qui ne me ressemblent pas ?

Je réponds machinalement. L'infirmière me prend par surprise avec ses questions. Elle semble s'intéresser à moi pour de vrai. C'est la première fois qu'un membre du corps médical comprend d'emblée que quelque chose ne tourne pas rond chez moi. Toutefois, j'ai presque l'impression d'être normale tout à coup. Ses questions ont du sens, collent à ma vie. C'est ma vie qui, au fur et à mesure que je réponds à ses questions, a de moins en moins de sens.

J'ai dix-sept ans ; durant la dernière année, deux médecins différents m'ont indiqué que j'étais dépressive, je me suis rendue à l'urgence à cause d'une attaque de panique, j'ai commencé à consommer régulièrement, et j'ai réellement cru que j'incarnais ce soir la version moderne de Marilyn Monroe, que je serais irrésistible, inatteignable. Mais je suis faible. Irrationnelle. Et ça ne va pas. C'est évident, surtout quand « l'infirmière relais du service de psychiatrie » m'annonce que je suis « chanceuse », car le psychiatre de garde peut me rencontrer dans une heure.

Déjà cinq heures du matin. Félix sirote son café. Je ravale mes larmes.

La porte est restée entrouverte. J'entends l'infirmière discuter avec celui qui doit être le docteur. Je ne prête pas vraiment attention à ce qui se dit, j'en ai assez sur les bras avec mon dialogue intérieur.

Je me fige quand j'entends la jeune femme dire : « Elle est souffrante. »

Ses paroles, destinées au médecin, c'est toute ma peine, mon mal d'exister, ma haine de l'amour, ma conquête effrénée de l'homme de ma vie, ma vie que je maudis. Ce sont tous ces maux rassemblés si simplement : je suis souffrante. Les folles de ce monde souffrent-elles toutes en silence, comme moi ?

Je lance un regard désespéré à Félix. Il a entendu. Ses yeux s'embuent. Il regarde au sol.

Le doc fait son entrée.

Félix sort silencieusement de la pièce.

— Bonjour, je m'appelle Sylvain Grégoire. Je suis psychiatre. L'infirmière que vous venez de voir m'a fait un résumé de votre situation, une préévaluation. Si vous le permettez, je vais vous poser encore quelques questions, commence-t-il.

Je n'ai comme pas le choix d'acquiescer. Je ne sais plus ce que je dis ni ce que je pense ou dois penser. C'est absurde que je sois ici, en face de lui, cet homme à qui je m'apprête à raconter l'échec qu'est ma vie.

— Je constate qu'il y a eu plusieurs *up and down* durant la dernière année, entre autres pendant les six derniers mois.

Pouvez-vous m'expliquer ce qui s'est passé pour que vous décidiez de venir à l'hôpital ?

Je lui dis tout. Je me répète un peu. Je suis plus calme et ça me permet de raconter ma soirée en détail. Mon obsession de ressembler à Marilyn Monroe et de rendre jaloux mon ex-petit ami lors du bal. Ma crise à la maison.

— Je pensais que j'allais devenir folle, conclus-je en observant le psychiatre qui prend un tas de notes.

— Avez-vous consommé de la drogue ou de l'alcool au cours des derniers mois ? m'interroge-t-il.

— Oui. J'ai commencé à fumer du pot cet hiver et... je bois en cachette quand je ne me sens pas bien, avoué-je, mal à l'aise.

— Qu'est-ce que vous voulez dire par « pas bien » ?

— C'est difficile à expliquer. Des fois, je fais des choses sans y réfléchir et, ensuite, je le regrette. Je me sens coupable parce que je fais de la peine aux gens. Alors là, je n'arrête pas d'y penser. C'est comme si mon cerveau surchauffait et ça bourdonne dans ma tête. Quand je fume, je suis plus relax. Et, quand je bois, je dors mieux, expliqué-je, moi-même surprise du récapitulatif de mon état.

Il n'y a pas grand monde qui se doute que, dans cette toute petite salle de l'urgence, un homme d'une soixantaine d'années dessine les montagnes russes d'une adolescente vertigineuse qui ne veut plus de sa vie. Moi, j'en prends conscience et je me remets à pleurer, timidement. Je crois comprendre comment se sentait la sœur de maman lorsqu'elle a décidé de se suicider. Quand tu as un trop-plein qui ne peut pas déborder, ça te noie par en dedans.

— Avez-vous déjà été déprimée ? continue le psychiatre.

Je ne dois pas penser au fait que je suis assise devant un psychiatre, c'est trop dingue. Je dois répondre, un point c'est tout. Pourquoi pose-t-il la même question que l'infirmière ? Il faut que je me répète, « comme un accusé dans un procès » ; c'est sans doute ce que maman dirait.

— Oui. En fait, j'étais très fatiguée à la fin de février et le docteur me trouvait déprimée, mais pas moi ni mes parents. J'ai passé des tests pour la mononucléose, on a examiné ma glande thyroïde, mais, finalement, je n'avais rien. Je me suis reposée et c'est tout. Je suis retournée à l'école et le dossier était clos.

J'hésite. L'intensité avec laquelle je mords ma lèvre inférieure me blesse. Devant le silence du psychiatre, je continue :

— Il y a eu l'été dernier. J'ai passé deux mois dans un état léthargique, sur le sofa. Ma mère trouvait que j'avais « les yeux tristes » et mon père s'inquiétait de mon manque d'énergie, de motivation. J'ai perdu plus de quatre kilos en un mois et le docteur que j'ai vu a dit que j'étais déprimée. Durant les deux dernières semaines du mois d'août, je suis allée à la campagne chez ma tante et l'appétit m'est revenu, l'énergie aussi. L'école a recommencé et je n'ai plus voulu en reparler.

— Je lis dans votre dossier que vous vous êtes présentée à l'hôpital en ambulance et que l'urgentologue vous a prescrit des anxiolytiques à la suite d'une crise de panique. Avez-vous fait d'autres crises d'angoisse, depuis ? enchaîne-t-il.

— Je ne suis pas certaine de savoir ce qu'est l'anxiété. Si c'est de penser mourir comme c'est arrivé ce jour-là, oui ; des fois, j'ai l'impression que je fais de petites crises cardiaques.

En ce moment, je ne sais pas si mon cœur doit continuer de battre ou s'arrêter pour me soulager.

— Est-ce qu'il y a des antécédents de maladie mentale dans votre famille ? me demande-t-il tout bonnement, comme on demande à un enfant s'il veut un dessert après qu'il a mangé son repas.

— Non. En fait… je ne sais pas. Il y a le frère de mon père qui souffre d'anxiété extrême, au dire de mes parents. Je ne suis pas certaine qu'il a une maladie mentale, il est juste différent, tenté-je d'expliquer. La sœur de ma mère n'arrivait pas à gérer sa vie, elle s'est suicidée à trente-huit ans… J'imagine que ça n'allait pas bien dans sa tête, pour qu'elle décide de se pendre.

— Est-ce que vos parents savent que vous êtes ici ? Nous pourrions leur poser des questions.

Mes parents. Oh non.

— Non. Ce n'était pas prévu que je me ramasse ici ce soir, clarifié-je, ironique. C'est le frère de mon amie qui m'a amenée. C'est lui qui m'attend.

Blottie dans le creux du lit, je réponds aux questions du psychiatre qui se trouve devant moi. J'essaie de le détailler, ses longs cheveux gris en queue de cheval, sa chemise beige boutonnée jusqu'au dernier bouton, son pantalon en velours côtelé, ses souliers en cuir verni bruns (style italien)… Mais il me ramène sans cesse à moi. À ce qui reste de moi.

Il arrête de griffonner pour me regarder.

— Selon ce dont nous venons de discuter et ce que vous avez raconté à ma collègue, il y a une hypothèse qui l'emporte sur les autres. Attendons vos parents pour l'examiner. Ils pourront nous donner d'autres renseignements.

— Non, répliqué-je. Je ne veux pas attendre. Ce serait trop long, parce que mes parents sont en voyage. En fait, ma mère doit être dans l'avion au moment où on se parle. Elle s'en va rejoindre mon père pour leurs vacances. Alors, je vous en prie, pouvez-vous m'expliquer votre hypothèse ? Ça fait des heures que je suis ici à répondre à vos questions et à celles des infirmières. Sincèrement, j'ai très envie d'entendre une explication.

Je me surprends. Je suis catégorique. Calme. Je veux l'exclusivité de ma folie.

Le médecin me regarde avec des yeux doux, mais autoritaires et « médicaleux », le tout généreusement arrosé de compassion.

— Savez-vous ce qu'est la maladie bipolaire ? reprend-il.

— Quoi ? C'est ça, votre hypothèse ?

Erreur, je n'aurais jamais dû venir à l'hôpital.

— La bipolarité, aussi appelée maniacodépression, est une maladie mentale qui fait varier l'humeur. Les patients qui en souffrent doivent faire face à des périodes dépressives, suivies de près ou de loin par des épisodes maniaques, entrecoupés de périodes calmes. Il y a différents degrés lorsque nous parlons de bipolarité.

— Vous venez d'employer le mot « hypothèse ». C'est donc que vous n'êtes pas certain ? Quel est le pourcentage de certitude ?

— Le caractère « hypothétique » tient au fait qu'il est difficile de poser un diagnostic final à l'adolescence. Il faut généralement observer les symptômes sur une longue période de temps.

— Alors, je suis bipolaire jusqu'à preuve du contraire ? C'est quoi, cette histoire de diagnostic temporaire ?

— Non ; selon ce que vous me racontez, vous avez eu plusieurs épisodes dépressifs et des comportements typiques d'une personne en période de manie, et ce, plus d'une fois. C'est ce qui me fait dire que, dans votre cas, la probabilité que vous souffriez de bipolarité est très élevée, assez pour que je pose le diagnostic aujourd'hui. L'impact de vos symptômes sur votre vie est assez important pour que nous commencions un traitement. Il y a plusieurs options, nous pourrons faire un choix ensemble si, bien sûr, vous acceptez de prendre en charge votre maladie.

— Oh… Ça se soigne ?

— Ça se gère.

C'est la première fois que le verbe «gérer» sonne mal à mes oreilles. J'écoute le docteur parler de tous ces médicaments et, bien que je comprenne tout, je ne retiens rien. J'ai juste une question :

— Il faut prendre les médicaments combien de temps ?

— Tant et aussi longtemps que vous en avez besoin. Mais, en général, lorsque le diagnostic se confirme avec le temps, c'est pour toujours, répond-il.

Je ne pourrai jamais prendre des pilules toute ma vie. J'ai juste dix-sept ans.

Voyant mon teint de «j'ai besoin de Gravol» – jeune fille pâle et timide au front dégonflé, privée d'idéal –, le docteur me propose :

— Vous avez du temps pour réfléchir aux possibilités de traitement. Nous en reparlerons après un bilan de santé, et avec vos parents.

— Oui. Bonne idée, réponds-je, incertaine de comprendre pourquoi le mot «santé» vient s'insérer dans cette discussion.

Là, je ne sais pas quoi faire. C'est tout ? Est-ce que je dois lui dire merci ?

— Êtes-vous en mesure de communiquer avec vos parents ?

— Oui. Je peux joindre mon père.

— Bien. Le plus tôt sera le mieux. Ils vous seront certainement d'un grand soutien et vous aideront à faire face à la situation. Étant donné votre état de détresse psychologique, même si vous semblez maintenant apaisée, je crois que la meilleure chose à faire, c'est de vous hospitaliser jusqu'à ce que nous ayons des nouvelles de vos parents. Qu'en dites-vous ?

— OK.

Voilà ce que j'en dis. J'acquiesce du plus petit mot que je connaisse. Ça recommence à rouler dans ma tête. Désorientée, je réitère mon envie de rester en sécurité à l'hôpital. Bien que ma propre voix ne semble plus m'appartenir, je dois sonner convaincante, car le spécialiste des cerveaux défectueux quitte la pièce.

On a officieusement diagnostiqué mon trouble bipolaire.

Maladie mentale confirmée.

Je ne respire plus. Il faut que je sorte d'ici. Ça urge.

Félix me rejoint. Je ne veux pas parler. L'infirmière qui a attesté ma souffrance me conduit à une chambre.

En moins de trois minutes, je passe de l'urgence à l'aile psychiatrique.

En moins de douze heures, je suis passée de déesse aux allures de Marilyn Monroe à fillette déboussolée en jaquette d'hôpital.

CHAPITRE 14
LA VÉRITÉ CHOQUE

Stéphanie

Quatrième étage. J'appuie sur le bouton de l'ascenseur et regarde ensuite le reste des explications que j'ai reçues par texto. Félix a pris soin de préciser le chemin que je dois emprunter pour me rendre à la chambre d'hôpital où Dorothée a passé la nuit. À gauche. Je me cogne le nez à une porte fermée. Je dois regarder la pancarte en haut de l'entrée pour me guider. « Psychiatrie ». Quoi ? Quoi ? Quoi ? Pourquoi mon frère n'a-t-il pas précisé cette information ? Suis-je au bon endroit ? J'ai envie de croire que je me suis trompée, mais, dans mon for intérieur, je sais que c'est possible. La seule place où Dorothée semblait avoir mal, hier, c'est au fond d'elle-même. Une infirmière m'ouvre la porte et j'aperçois mon frère.

— Félix, dis-je d'une toute petite voix avant de le serrer dans mes bras.

Je regarde mon frère intensément, toujours sans savoir pourquoi il a attendu si longtemps avant de me téléphoner. Il est passé midi ! J'attends une explication. Il n'est pas rentré de la nuit, Dorothée non plus. Hier soir, deux minutes après que je suis descendue de la voiture, Félix m'a textée : « Ne nous attends pas, je suis avec Do et nous allons dormir ailleurs ce soir. »

J'ai tout de suite pensé que Félix retournerait dormir chez Dorothée, avec elle. Je savais bien qu'elle ne voulait pas voir mes parents.

Je soutiens toujours le regard de mon frère et j'ose enfin lui demander des explications.

— J'aurais voulu t'appeler avant, te dire où nous étions, mais Dorothée m'a fait jurer de ne pas le faire. Mais, dans les circonstances, après sa rencontre avec le docteur, tard cette nuit… ou plutôt tôt ce matin…, hésite-t-il. Et ses parents qui n'arriveront que plus tard… j'ai cru bon… Elle a besoin de sa meilleure amie. Enfin, je crois…

C'est évident qu'il n'a pas dormi de la nuit.

— Qu'est-ce qui s'est passé ? Comment va Do ? Qu'est-ce qu'elle a ? Avez-vous eu un accident ? C'est quoi, cette rencontre avec le docteur ? Pourquoi l'aile psy…

Mon frère m'interrompt en me prenant de nouveau dans ses bras. Il n'est pas le Félix solide que je connais. Il me répond doucement :

— Je vais laisser Do te raconter. Je lui ai dit que tu arrivais. Ne t'en fais pas. Aucun accident. As-tu oublié que je conduis comme un futur policier ? me demande-t-il pour, je crois, détendre l'atmosphère.

Il réussit à me faire sourire. Je pousse la porte. Dorothée est là, dans le lit d'hôpital. Elle porte une jaquette verte qui ne donne pas de teint au commun des mortels, mais à elle et à ses yeux de sirène, oui. Assise dans son lit dont l'extrémité est relevée, elle me paraît seule sur une île déserte, comme si elle attendait que quelqu'un vienne la sauver. Aussitôt que je croise son regard, ses yeux se mouillent. Les miens aussi. Je me dirige vers elle, prends place sur son lit et la berce.

— Qu'est-ce qui s'est passé, hier soir ?

— J'ai peur de te le raconter, avoue-t-elle, visiblement épuisée.

C'est à ce moment que je remarque les cernes sous ses yeux rougis par les pleurs.

— Voyons, ma Do, tu es ma meilleure amie et rien au monde ne pourrait changer cela. Et puis, je suis certaine que ça va te faire du bien de jaser.

Dorothée prend une grande inspiration avant de continuer.

— Hier soir, après que tu es descendue de l'auto, ton frère m'a proposé de m'amener à l'hôpital. J'ai accepté parce que je ne me sentais pas bien… J'ai cru que je devenais folle, confesse une Dorothée fragilisée, pour ne pas dire brisée.

Mon amie me regarde. Je ne sais pas quoi dire, alors j'écoute. Devant mon mutisme, Dorothée me raconte sa conversation avec l'infirmière et enchaîne avec les détails de sa rencontre avec le psychiatre. Je suis dépassée. Plus elle en dit, plus j'en apprends, et plus le sentiment de ne pas la connaître réellement grandit en moi. Je ne savais pas que son besoin de sommeil est très variable, allant de quelques heures à plus de neuf heures par nuit. Je ne me serais pas doutée que ses capacités de penser varient beaucoup, qu'elle a parfois l'esprit vif ou alors embrouillé. Je savais par contre qu'elle a l'habitude de commencer des choses, puis de s'en désintéresser complètement. Je suis perplexe devant tant de sincérité et de vérité de la part de Dorothée.

— C'est quoi, la conclusion du médecin après tout ça ? As-tu reçu un diagnostic ? demandé-je, voyant que le récit de mon amie tire à sa fin.

Je veux connaître la réponse.

— C'est difficile à dire. J'ai peur que tu me juges. J'ai peine à y croire.

— Alors, dis-le-moi d'un coup, comme quand on enlève un pansement.

Do inspire une fois de plus comme si l'oxygène lui manquait. Au moment où elle expire, ça sort de sa bouche :

— Il paraît que je suis bipolaire.

— Oh !

J'aurais aimé répondre autre chose, mais j'avoue que c'est une surprise. J'ai été littéralement prise de court.

C'est une Dorothée fragilisée qui se remet à pleurer.

— Ne pleure pas. Ça va aller. Tu me fais pleurer aussi. Oh… Est-ce que mon frère ou tes parents sont au courant ?

— Non. J'ai insisté pour que le docteur me parle en privé. Je ne voulais pas attendre. C'était important pour moi d'avoir l'exclusivité de ma folie, commente-t-elle.

— Tu n'es pas folle, Dorothée ! Tu vas recevoir l'aide dont tu as besoin et être soignée. Ça va aller.

— Arrête de répéter que ça va aller, m'ordonne mon amie. J'ai une maladie mentale. La bipolarité, ça ne se soigne pas. Ça se contrôle, il paraît, précise Do, sans conviction. Mais il n'y a pas de guérison à l'horizon. Je vais prendre des médicaments toute ma vie.

Zut. Je l'ai offusquée. Je dois faire attention à ce que je dis ; pauvre elle, c'est déjà assez difficile.

— OK. Excuse-moi. Je ne sais pas quoi dire.

Je voudrais reculer dans le temps et l'aider. Comment est-ce que j'aurais pu l'épauler ? Est-ce que je suis une bonne amie ? Elle qui me disait si souvent qu'elle se sentait différente, aurais-je pu détecter un signe de sa détresse intérieure ?

— Ne dis rien, m'indique-t-elle, se murant dans un mutisme empreint de souffrance.

Je n'ajoute rien. J'arrête même de me poser des questions. La priorité, c'est Dorothée. Je la prends dans mes bras et on reste un moment ainsi, en silence. Des minutes à être chacune dans notre tête jusqu'à ce que j'aie l'idée de sortir de mon sac à main l'album des finissants de Do.

— Dorothée, hier soir, j'ai pris soin de rapporter ton album après le bal.

— Mauvaise idée. Je ne veux pas le voir. Je n'ai jamais eu d'amis à part toi. Tout le monde me détestait et me regardait croche. Je n'en ai rien à foutre de ce que les gens ont écrit… s'ils se sont donné la peine d'écrire, me lance-t-elle.

Je partage la frustration de Do, mais c'est plus fort que moi, je veux changer de sujet, la distraire. Je la connais assez pour savoir qu'en ce moment le mot «bipolarité» virevolte dans sa tête d'un côté et puis de l'autre. En tout cas, c'est ce qui se passe dans la mienne.

— Tu vas être surprise, je crois, parce que les messages des gens sont remplis de mots chaleureux à ton égard.

Elle reste silencieuse. Comme toujours avec elle, je n'attends pas son autorisation pour agir et je prends l'initiative de lui montrer une partie de l'album.

— Enlève ça de ma face, tente-t-elle de crier, ne semblant pas trouver la force d'élever le ton. Je t'ai dit que je n'en ai rien à foutre. Que tout le monde aille chier.

— Tu es radicale, mais j'ai toujours trouvé que ta franchise et que ton aplomb étaient des qualités, alors je vais juste te lire un ou deux messages…, insisté-je. Ensuite, tu verras.

— Stéphanie, je ne veux pas me chicaner avec toi.

— Alors, écoute.

J'ouvre l'album, je tourne les pages. Je les connais presque par cœur à cause de mon implication dans le comité. Et, en attendant Dorothée et Félix la nuit dernière, j'ai feuilleté mon album et celui de ma meilleure amie. Je n'arrivais pas à croire que le secondaire était terminé, encore moins à justifier le fait que mon frère avait disparu avec Do, et je repensais sans cesse à la crise de Dorothée…

Je choisis le message de Martine, qui est, selon Dorothée, la plus belle fille de l'école et la plus grande garce qui existe sur cette terre, et je le lis à voix haute : « Salut, Do ! Je ne peux pas croire qu'on a passé cinq ans dans la même école et qu'on n'est pas devenues amies… Tu es si belle, si intelligente, si sûre de toi que je n'ai jamais osé te parler, je t'ai juste observée. Je ne serais pas surprise que tu deviennes mannequin. À bientôt peut-être ! xox »

— Elle était sûrement soûle. Ou elle s'est trompée d'album, soutient Do.

— Je peux te lire celui de Joe ? risqué-je.

Dorothée ne dit rien. Des larmes coulent sur ses joues. Je sais qu'un message ne pourra pas panser la plaie des événements de la nuit dernière, mais peut-être que le mot doux de Joe saura l'apaiser, alors je lis avec une voix que j'espère réconfortante : « Ma belle Dorothée, j'aurais aimé t'accompagner au bal, mais, même si tu n'es pas avec moi ce soir, tu restes mon meilleur souvenir du secondaire. Tu es une fille de rêve… et rêveuse ! J'espère avoir la chance de te croiser à la bibliothèque du cégep. ☺ *Luv*, Joe »

— Je croyais qu'il me détestait… Merci, Steph. Mais c'est assez. Je vois que tu veux me remonter le moral, mais ça va aller à un autre moment.

— Je veux te montrer une dernière chose. Une page spéciale. Pas de mots, juste des photos. On a une page juste pour nous deux. Regarde, elle est intitulée « Les siamoises, les amies inséparables ».

Je savais que Dorothée allait y prêter attention. Toutes ces photos de nous durant le secondaire nous font rire et pleurer. Encore des larmes, mais cette fois de joie et de nostalgie, je crois.

— Salut, les filles, est-ce que je vous dérange ? demande Félix avec un grand café à la main.

— Non, entre, mon ange, répond Dorothée.

— C'est beau de vous voir ensemble. Do, tes parents s'en viennent. Ta mère sera là en premier, je l'ai jointe durant son escale à l'aéroport de New York, annonce-t-il. Elle revient par le prochain vol. Ton père est déjà dans un avion, mais il sera en ville seulement tard ce soir.

Ma meilleure amie me regarde, encore une fois avec du désarroi dans les yeux.

— Je ne sais pas comment mes parents vont réagir, s'inquiète-t-elle.

— Tes parents t'aiment et vont toujours te soutenir. Je sais que tu veux que j'arrête de le répéter, mais ça va aller. Si tu veux, je reste avec toi jusqu'à leur arrivée.

— Moi aussi, propose Félix.

Nous faisons comme si de rien n'était. Félix nous raconte des anecdotes de ses premières expériences de patrouille. Il nous fait rire.

Dorothée s'est assoupie. Je la regarde dormir et je ne peux m'empêcher de penser que nous avons si souvent souhaité – elle encore plus que moi – que le bal des finissants soit mémorable, que cet événement marque le début d'une nouvelle vie, que le souvenir de cette soirée reste à jamais gravé dans nos mémoires. C'est arrivé, mais pas comme elle l'avait si bien planifié.

Le souhait de Dorothée s'est exaucé… comme un mauvais sort.

CHAPITRE 15
UN TROP-PLEIN

Dorothée

Ce n'était pas dans mes plans qu'on diagnostique chez moi un trouble bipolaire la dernière journée de mon secondaire. C'est assez ordinaire, pour une fille qui carbure à l'extraordinaire.

Hier, durant le peu de temps que j'ai été réveillée en sa présence, je n'ai rien voulu dire à ma mère. J'ai préféré attendre que papa soit là. Comment annoncer à ses parents que leur fille unique est déréglée ? J'ai l'impression que je vais leur lancer une grenade en pleine face.

— Ma belle fille d'amour, commence ma mère en me flattant les cheveux, comme elle le faisait lorsqu'elle me réveillait quand j'avais cinq ans.

— Te sens-tu prête à nous raconter ce qui est arrivé? continue mon père, empli d'empathie.

Il y a de l'inquiétude dans le regard de mes parents. Papa est arrivé cette nuit et, ce matin, je leur dois bien la vérité. Je n'ai pas le choix.

— Papa. Maman. On a diagnostiqué chez moi un trouble bipolaire.

Silence.

Silence de parents qui accouchent d'un malheur.

Silence que je dois combler pour ne pas m'effondrer.

— Je vais revoir le médecin tout à l'heure. J'aimerais que vous assistiez au rendez-vous, leur demandé-je, calme. Il va m'expliquer les traitements disponibles et il pourra répondre à vos questions. Il en a aussi. Il veut savoir s'il y a des antécédents de maladie mentale dans la famille.

Mon père dépose un bisou sur mon front et me demande comment je vais. Je ne le sais pas. Je suis gelée, mes émotions sont sous anesthésie générale. Ma mère continue dans le même sens que papa.

— Est-ce qu'on peut faire quelque chose pour toi? Tu sais qu'on est là, peu importe ce qui arrive; n'hésite pas et demande. Tu es notre seule et unique priorité, m'annonce maman, comme si elle faisait un serment solennel.

— Non, il n'y a rien à faire. On va attendre le psychiatre. Il m'inspire confiance. Ça va aller, dis-je, la gorge serrée. Ça va aller, répété-je, les yeux mouillés. Ça va aller, marmonné-je une troisième fois, pour me convaincre.

J'ai somnolé en attendant l'heure de vérité. Parce qu'une fatigue de la grosseur d'un tsunami m'a assaillie… et parce que je n'ai pas le courage de jaser avec mes parents – je préfère de loin être emportée par un raz-de-marée noir.

C'est une voix que je connais et que je préférerais n'avoir jamais entendue qui m'oblige à ouvrir les yeux et à m'asseoir, toujours dans mon petit lit, vêtue de ma ridicule et laide jaquette verte.

— Bonjour, je m'appelle Sylvain Grégoire. Je suis le psychiatre qui a évalué Dorothée à son arrivée à l'urgence et qui a posé le diagnostic de bipolarité, se présente-t-il en nous regardant tous les trois, l'un après l'autre.

Maman opine du bonnet tandis que mon père se contente d'un bonjour, synonyme de : « Continuez, monsieur le docteur, nous n'avons pas de commentaires sur cette première information. »

— J'ai brièvement présenté les médicaments à votre fille, hier. Il s'agit de régulateurs d'humeur. La prise régulière de ces molécules réduit considérablement les possibilités de dépression majeure et de périodes de manie, communément appelées *high.*

Mon père interrompt la cascade d'informations.

— Docteur Grégoire, je, enfin, ma femme et moi connaissons bien cette maladie. Mon frère a reçu un diagnostic de maniacodépression il y a de cela plusieurs années, informe-t-il le docteur, et moi du même coup.

— Quoi ? Oncle Arthur est bipolaire et je ne le savais pas ? Tu m'avais seulement dit qu'il était anxieux..., m'étonné-je, perplexe.

— Je ne savais pas si je devais t'en parler ; ton oncle n'a jamais pris ses médicaments de manière continue et c'est un sujet délicat pour moi puisqu'il est rarement stable, m'explique papa.

Le psychiatre met un terme à ce qui s'annonce comme une discussion familiale reportée à plus tard – puisque je suis le sujet de cette rencontre.

— Monsieur Cardinal, merci pour cette information. Il y a souvent plusieurs diagnostics de maladie mentale dans une même famille, précise-t-il. Votre fille m'a aussi mentionné un suicide ?

— Oui, ma sœur, mentionne ma mère. Elle n'a jamais voulu se faire évaluer ou recevoir d'aide. Je peux quand même dire qu'elle a fait plusieurs dépressions. Elle avait des problèmes d'argent, en plus de nombreux échecs amoureux. Je ne sais pas si c'est une information qui vous est utile.

— Oui. Ça vient en quelque sorte valider le diagnostic, bien que cette maladie n'ait pas toujours un caractère génétique. Si nous revenons aux médicaments, certains ont plus d'effets secondaires que d'autres, comme la prise de poids, précise-t-il en me regardant, comme s'il devinait que je n'ai pas envie d'engraisser. D'autres nécessitent des prises de sang régulières.

J'écoute la liste des effets bénéfiques et des effets secondaires – que je classe dans les colonnes des pour et des contre qui se dessinent dans mon cerveau, du moins dans ce qu'il en reste en ce moment. Je ne retiens pas les noms. C'est trop compliqué. C'est plus que ce que je peux supporter. Je déborde.

Silence. Le docteur et mes parents me regardent ; ils attendent une réponse, je crois. Une décision.

— Le dernier dont vous avez parlé. Celui qui ne fait pas trop engraisser, mais qui a fait ses preuves. J'ai confiance en vous, rétorqué-je, convaincue que la seule personne en qui il ne faut pas avoir confiance dans cette pièce, c'est moi. Papa ? Maman ? Qu'en pensez-vous ?

Le docteur est d'accord avec la réponse de mes parents : c'est mon choix, car c'est moi qui devrai prendre mes médicaments tous les jours. Je me demande si le doc m'a offert un choix juste pour me donner un semblant d'espoir que j'ai encore une minuscule emprise sur ma personne.

Je m'en fous, pour être honnête. Je veux juste sortir d'ici.

— Dans ce cas, le choix étant fait, nous allons commencer le traitement dès aujourd'hui, puisque les résultats de votre bilan sanguin n'indiquent aucune contre-indication. Je vais ajouter un anxiolytique à prendre quotidiennement ; nous verrons dans les prochains mois s'il s'agit d'angoisse passagère ou d'un trouble anxieux généralisé. Nous allons nous revoir dans une semaine et, ensuite, périodiquement. Je dois vous aviser qu'il est possible que le médicament n'ait pas les effets escomptés. Parfois, il faut changer de molécule et modifier les doses. En psychiatrie, chaque patient a sa recette. Une infirmière de la consultation externe vous appellera demain pour vous donner rendez-vous. C'est avec elle que vous ferez l'apprentissage nécessaire pour vivre le mieux possible avec votre maladie, et elle a plusieurs outils pour que vous passiez à travers cette période d'adaptation. Elle pourra vous écouter ; vous verrez, elle a vraiment une bonne oreille, m'encourage-t-il. Votre présence aux rendez-vous est primordiale dans la réussite du traitement, insiste-t-il en me regardant sévèrement en premier, avant d'établir un contact visuel avec mon père et ma mère pour s'assurer que l'information s'est bien rendue.

— Bien sûr, nous allons y voir, confirme ma mère.

— Alors, Dorothée, vous sentez-vous prête à retourner à la maison avec vos parents ? me demande sérieusement le médecin.

— Oui, dis-je avec un petit sourire de satisfaction.

Arrivée à la maison, j'informe mes parents que je suis exténuée et que je vais me coucher de bonne heure, que je les reverrai demain matin et que je souhaite passer le reste de la soirée seule. De plus, je crois que je n'ai jamais tant voulu prendre une douche de toute ma vie. Je suis sale. Mon cuir chevelu me démange.

J'enclenche le bain de vapeur et je reste aussi longtemps que je peux tolérer la chaleur. J'essaie de reconstituer les événements des derniers jours. Le bal, la crise, le *check-in* à l'hôpital, l'interminable entrevue avec l'infirmière et le psychiatre, le diagnostic, Stéphanie et l'album des finissants, mes parents, les médicaments, les choix, le *check-out*. Joe. Joe. Joe. Ai-je perdu à jamais la possibilité d'aimer ?

Je me lève d'un bond, me précipite sous l'eau glaciale et me sèche.

J'ai un texto de Steph : « Alors ? Es-tu à la maison ? Je m'ennuie de toi. » Je décide de lui téléphoner. Je veux la remercier.

— Salut, je suis rentrée chez moi.

— Cool. Est-ce que ça va ? me demande Stéphanie avec un brin de malaise, s'apercevant probablement qu'il y a de faibles probabilités que je réponde oui.

— C'est OK. Je suis contente de retrouver mon confort. Je viens de me faire un spa maison.

— C'est bien, de faire peau neuve !

— Dommage qu'on ne puisse pas faire tête neuve.

— C'est difficile à croire, toute cette histoire, finit-elle par articuler, entre deux sanglots.

— Steph, ne pleure pas. Ça va aller. J'appelais pour te remercier…, dis-je avant de prendre une pause, puisque, sans surprise, je pleure aussi. Pour ta présence, merci. Tu es vraiment la meilleure amie du monde.

Elle me fait jurer de lui donner des nouvelles chaque jour. Je lui ai demandé de remercier Félix pour moi. Je suis trop épuisée pour lui téléphoner. Et de dire merci par texto à celui qui m'a – je m'en rends compte aujourd'hui – sauvé la vie, ce ne serait pas fort.

L'énergie qu'il me reste, c'est celle de m'enrouler dans un long drap et de me blottir au creux de la chaise suspendue sur mon balcon, celle qui ressemble aujourd'hui à un cocon.

Je pleure. C'est plus fort que moi. L'eau jaillit de mes yeux comme la lave d'un volcan.

Le bip de mon cellulaire me fait sursauter. C'est Joe. Oh non. Misère. Honte. Il veut lui aussi savoir comment ça va et il me presse de lui donner des nouvelles.

Je n'ai pas la force de répondre. Je ne veux pas manger. Je veux m'endormir et engourdir mon mal-être.

J'ai l'impression d'émerger plus que de me réveiller après douze heures de sommeil profond. Après m'être extirpée de mon lit, j'enfile mes gros bas de laine gris usés, un short en jeans délavé et le plus vieux t-shirt que je possède, et je me traîne jusqu'à la cuisine. Je veux une dose de normalité. Je veux un café corsé.

En tant que rescapée de la famille, je fais mon entrée dans la cuisine avec une minuscule dose d'optimisme et… j'y trouve une maman en pleurs. Petite et blessée.

— C'est correct, maman, si tu pleures. Si on braille. Même que c'est rassurant pour moi de voir que ça te fait de quoi, dis-je en me servant un café, m'accrochant à la tasse comme à une bouée.

Je l'encourage à pleurer, je me sens mieux quand je ne suis pas seule à verser des larmes. On pleurniche ensemble dans un mélange d'état de choc et de soulagement, parce qu'on sait que quelque part il y a l'espoir que ça va se placer, même si, en attendant, on est dépassées par les événements.

Déjà la troisième semaine de juillet. C'est fou comme le temps passe vite même quand je ne fais pas grand-chose. Une simili-routine s'est installée à la maison. Chaque matin, après avoir avalé mes pilules avec un verre d'eau et un sanglot, je prends mon café avec maman. On dirait que tout est plus facile avec elle. Je ne sais pas si c'est elle ou moi. Elle travaille de la maison deux jours par semaine et, quand elle va au bureau, c'est pour n'y rester que durant les heures habituelles. Papa, lui, a commencé à faire du jardinage en plus de son jogging. Lui qui avait des vacances de planifiées, il n'arrête pas de vanter les mérites d'être vacancier chez soi. Il devait valider certains investissements à l'étranger durant son voyage avec maman, mais sa destination ayant changé – mon déséquilibre mental a déséquilibré l'agenda familial –, il se plaît à dire que c'est moi, son investissement.

CHAPITRE 16
FACILE À DIRE, DIFFICILE À COMPRENDRE

Stéphanie

Déjà octobre. Les feuilles ont commencé à changer de couleur. On le voit bien du balcon de Dorothée. C'est ici qu'on s'installe quand je viens la visiter. Suzanne et Michel ont même fait l'achat d'une deuxième chaise suspendue, comme ça je peux « flotter avec Do ». C'est une blague qui ne fait rire que nous deux.

Mon été a passé si vite ! J'ai fait du camping avec ma famille et Jeff s'est joint au voyage. J'ai travaillé comme entraîneuse et animatrice dans un camp d'été de ringuette. Le cégep a commencé à la fin d'août et, avec mes huit cours, mes entraînements, les travaux, mon copain, le mois de septembre est passé inaperçu. L'école occupe beaucoup de mon temps, mais j'essaie d'aller visiter Do une fois par semaine. Notre complicité est toujours intacte, ce sont nos activités qui ont changé. En fait, ma meilleure amie ne sort pas de chez elle, ou très peu; elle doit assister à des rencontres de groupes d'entraide et à des sessions individuelles avec les intervenants du centre de psychiatrie. Personnellement, chaque fois qu'elle dit le mot « psychiatrie », ça me fait bizarre. Je n'arrive pas à m'y habituer. Mais je ne lui parle pas de ça. À l'opposé de moi, quatre mois après cette nuit du bal qui a bousculé sa vie – et celle de bien d'autres autour d'elle –, ma meilleure amie semble de plus en plus à l'aise de parler de son expérience, de sa maladie. Elle me raconte quelquefois ses visites à l'hôpital. Aujourd'hui, elle est particulièrement en verve.

— Il faut que je te raconte mon atelier d'hier après-midi… et, ensuite, j'ai un truc à te demander, je vais avoir besoin de ton aide.

— Vas-y ! lui dis-je, enthousiaste, car, chaque fois, ses histoires me font rire.

Je soupçonne qu'elle choisit ce qu'elle me relate…

— Bon, alors, hier, c'était l'activité artistique, une forme d'art-thérapie. Bref, j'ai opté pour la peinture, poursuit Do, qui rigole déjà alors qu'elle se lève et rapporte de sa chambre ce qui ressemble à une toile. Ç'a donné un tableau gestuel avec mes couleurs préférées : noir, blanc, gris… et j'ai osé ajouter un peu de rouge. En fait, pas un peu… un peu beaucoup serait plus juste. La frustration s'est emparée de moi et, mon pinceau possédé, j'ai saisi le pot de gouache sanglante et fait un gros X sur le tableau.

Je la regarde, les yeux écarquillés.

— Tadam ! s'exclame-t-elle en retournant ledit tableau, dévoilant une peinture abstraite.

— Wow, commenté-je simplement avant d'ajouter que le titre de son œuvre pourrait être *Colère colorée*, ce qui nous fait rigoler.

— Je ne riais pas, hier, précise Do. En constatant mon dégât, j'étais plutôt perplexe devant mon art médiocre. L'animatrice, elle, a trouvé que j'avais du style. Toutes les émotions sont dans mon cœur et tous les goûts sont dans la nature, qu'elle a dit.

— Ta gouache a du *swag*, clamé-je.

— *Whatever forever*, rétorque-t-elle en collant les pouces et en levant les index au ciel, faisant le signe que nous avons toutes les deux adopté, comme des millions d'autres jeunes.

Pour moi, c'est ce commentaire qui dédramatise la situation.

— C'est quoi, ta prochaine histoire ? Tu as dit que tu avais besoin de mon aide ?

Je souhaite en silence qu'elle ne me demande pas de l'accompagner à une de ses rencontres à l'hôpital.

— J'ai une liste, déclare-t-elle en sortant une feuille de papier de sa poche et en la dépliant pour en faire la lecture. Aller au cinéma, déjeuner au restaurant avec Stéphanie, dit-elle en me lançant un regard coquin, et revoir Joe.

— Oh, as-tu un délai pour accomplir ces trois activités ? Un ordre à respecter ? Et…, hésité-je quelques secondes, revoir Joe dans quel but ? Veux-tu reprendre avec lui ?

— Je ne sais pas. Je veux le revoir pour boucler la boucle. Ce n'est pas nécessaire, mais c'est important pour moi. J'ai l'impression que je lui dois une explication. Pour ce qui est du cinéma, j'ai pensé demander à Félix de m'accompagner. Il m'est impossible d'y aller seule et je me sens très à l'aise avec ton frère. Ensuite, on ira déjeuner une journée où tu seras disponible et où je serai en forme. Qu'est-ce que tu en dis ?

— Je pense que c'est une bonne idée. Félix ? Est-ce une excuse pour sortir avec lui ? lancé-je. Je sais qu'il arrête souvent te voir, et il dit chaque fois que tu embellis. Il est célibataire, tu sais…

— Stop, la machine à rumeurs ! m'ordonne Do, un sourire timide au visage. Et d'un, c'est ton frère, et de deux, c'est parce qu'il sait tout, qu'il ne me juge pas et que j'ai confiance en lui. Et puis… il agit comme si tout était normal. Ça me fait du bien que quelqu'un ne me parle pas de ma… convalescence.

— OK. Je vais arrêter ; j'aime te taquiner, je fais la même chose avec Félix.

On jase encore de tout et de rien et je la quitte pour aller rejoindre mon beau Jeff pour le souper et la soirée.

Encore une fois, j'ai passé un agréable moment en compagnie de Do, et je suis contente de savoir que le prochain stade de sa période d'adaptation, c'est de sortir un peu. Je n'arrive pas à saisir pourquoi une activité simple comme aller au cinéma semble lui prendre toute son énergie, pourquoi elle doit planifier sa sortie et pourquoi elle en parle comme d'une étape importante de sa vie. Je suis si loin de sa réalité.

C'est difficile d'accepter qu'elle soit bipolaire. C'est le genre de truc que tu entends, mais qui n'affecte jamais quelqu'un près de toi – sauf dans la communauté artistique, où ça semble considéré comme une qualité, une marque de créativité. La cousine d'une fille de mon équipe de ringuette est maniacodépressive, paraît-il. Mais a-t-elle vraiment reçu un tel diagnostic ou est-ce que ma coéquipière dit juste ça parce qu'elle la trouve spéciale ? Moi, je n'ai pas envie de crier et de dévoiler à qui veut l'entendre que Dorothée a une maladie mentale. Il me semble que, quand c'est vrai, c'est le genre d'information qu'on tait. J'en ai parlé avec mon frère et, selon lui, c'est parce que les gens ne sont pas bien informés sur ce type de maladie qu'ils jugent si sévèrement ceux qui en sont atteints. Selon moi, à moins d'être porte-parole d'une fondation qui vient en aide aux personnes touchées par des problèmes de santé mentale, il n'y a aucune situation où ça puisse être un plus de dévoiler son état. C'est pourquoi j'ai choisi de ne pas en parler, sauf à ma famille proche, mais ça devient de plus en plus lourd de ne pas dire à Jeff ce que Do a comme maladie, comme trouble… C'est à mon chum que je veux me confier. Et je ne pourrai pas tenir encore longtemps sans flancher, puisque Jeff ramène toujours la question qui tue sur le tapis. Encore ce soir, il revient à la charge.

— *Babe*, arrête de me poser la question. C'est difficile pour moi de ne pas te dire ce qu'elle a, Dorothée. Mais c'est ma meilleure amie et je ne veux pas la trahir, lui rappelé-je.

— C'est peut-être ta meilleure amie, mais moi, je suis ton copain, et je vois bien que tu as envie d'en parler, continue-t-il, le regard insistant. Tu sais que tu peux me faire confiance. Et je te jure que je ne le dirai pas à mon frère. Alors, je te le demande une dernière fois : comment va-t-elle ?

— Ça va moyen. En fait, elle va mieux, mais moi, je trouve que sa vie est loin d'être normale.

— Est-ce que je peux oser te demander ce qu'elle a exactement comme maladie ? Tu sais, je ne suis pas du genre père poule, mais ça fait assez longtemps qu'elle est enfermée chez elle pour que je m'inquiète moi aussi, avoue-t-il, prenant d'assaut mes sentiments.

— Elle est bipolaire.

Je lui ai garroché la réponse tant désirée sans aucune délicatesse, comme une bombe qui voulait exploser depuis longtemps. Qu'est-ce que je lis sur le visage de Jeff ? Il semble soulagé par ma réponse, ou peut-être indifférent ? C'est difficile à dire. Je fronce les sourcils.

— Ça ne m'étonne pas, déclare-t-il.

— Quoi ? rétorqué-je, choquée.

Je le dévisage et je réitère ma question.

— Quoi ? Pourquoi ? Pourquoi ça ne t'étonne pas, Jeff Perron ?

— C'est la mode, lâche-t-il en me regardant comme si j'en faisais tout un plat.

J'ai soudainement l'impression qu'il s'attendait à un *scoop* plus croustillant et ça me dégoûte.

— LA MODE ?

— Ben oui, tout le monde devient bipolaire, insiste-t-il.

Il en rajoute, en plus. Il jette de l'huile sur le feu. Pire encore : il concocte un enveloppement d'acide pour un grand brûlé.

— Je ne pensais pas que ça pouvait être une mode, réponds-je sur le ton le plus cynique du monde. Il me semble qu'une mode, tu décides de la suivre ou pas, ça passe et ça change avec les saisons. La bipolarité, c'est une maladie mentale diagnostiquée par un spécialiste qui doit être traitée avec des médicaments TOUTE TA VIE. *Ad vitam æternam.* Rien à voir avec le fluo qui revient tous les dix ans. Jeff, réfléchis ! As-tu déjà vu ça, toi, une mode qui fait souffrir ? Une tendance qui t'oblige à mettre un frein à ta vie et à arrêter d'étudier, qui te rend incapable de sortir de la maison pour une activité super simple comme aller au cinéma ? C'est pas cool. J'ai l'impression d'avoir perdu ma meilleure amie, même si je la visite chaque semaine. Je ne sais pas quoi lui dire quand elle revient de ses rendez-vous en psychiatrie et qu'elle pleure. Et, quand elle est de bonne humeur et qu'elle est encouragée par ses progrès vers l'issue de sa dépression, je trouve ça encore plus déstabilisant.

Je viens de balancer toute cette tirade sans respirer. Sans penser. Pour la première fois, je crois être près de ce que ressent Dorothée quand elle pleure à la moindre mention du mot « bipolarité ».

— Je ne voulais pas t'insulter. Excuse-moi. Je ne savais pas, je ne… pouvais pas m'imaginer…, me dit-il doucement avant de se murer dans le silence.

Il me berce et je pleure. Je n'avais jamais pris conscience d'à quel point les événements des derniers mois m'avaient affectée. Je ne peux plus parler.

— Je suis allée au cinéma avec ton amie cet après-midi, m'annonce Félix en préparant le souper.

Je suis étonnée. Dorothée ne m'a même pas textée pour me le dire.

— Ah oui ? C'était prévu ? le questionné-je, déçue de ne pas avoir été mise dans le coup.

— Non, je me suis arrêté chez elle après mon cours, juste pour un petit bonjour, et puis elle m'a demandé si je voulais l'accompagner… Une histoire d'activité sur une liste…, mentionne-t-il sans s'y attarder. Alors on a décidé d'y aller, on avait tous les deux l'après-midi de libre.

— Cool, dis-je, un peu jalouse de constater que mon frère semble plus près de Do que moi. Est-ce qu'il y a eu des rapprochements ? lancé-je à la blague, tentant de cacher ma réelle curiosité, car je sais que Félix a toujours bien aimé mon amie.

Je le regarde prendre son temps pour me répondre et, comme dit Do, la machine à potins s'active dans ma tête. Je repense à toutes les fois où nous nous sommes entraînés tous les trois, aux petites attentions de Félix pour ma meilleure amie. Aux confidences qu'elle lui faisait, et cela bien avant de recevoir son diagnostic.

— Ah ! Tu t'en racontes, des histoires, hein, petite sœur ? J'adore Dorothée, mais c'est tout. Si tu veux vraiment le savoir, je lui ai tenu la main pour entrer au cinéma, parce qu'elle était trop nerveuse. Et j'ai commandé le popcorn et les boissons gazeuses, pas seulement parce que je suis un jeune homme galant, mais parce que ton amie ne se sentait pas apte à aller au comptoir elle-même, m'explique-t-il, ce qui me laisse une fois de plus dans le flou. Dorothée est encore fragile. Et elle est hyper belle, intelligente et persévérante ! m'avoue-t-il, plein d'entrain.

— Ne te fais pas trop d'idées, répliqué-je, ricaneuse. Elle va revoir Joe, c'est aussi sur sa liste.

— Je sais, elle m'en a parlé. Et ne te fais pas trop d'idées non plus, c'est juste une amie. Et c'est ton amie avant tout, souligne-t-il en me faisant un gros câlin.

ÉPILOGUE
LA FIN ET LE DÉBUT

Dorothée

Au secours, j'ai besoin de ma meilleure amie, ma confidente, ma référence en matière de rationalité. J'ai rendez-vous avec Joe ce soir. On va souper dans un resto du coin, parce que j'étais mal à l'aise d'aller chez lui. Et pas question que je le reçoive ici. Ma chambre, c'est mon refuge, et disons que j'ai passé beaucoup de temps à la maison durant les dix derniers mois. Vite, mon cell.

— Je suis tellement nerveuse !

— Pas de panique, Dorothée ! C'est une situation qui énerverait n'importe qui, précise-t-elle.

C'est rendu un réflexe, pour Steph, de normaliser les choses. Parce que je me surveille. J'ai peur d'être *high* quand je m'excite pour un projet, un événement ou une rencontre. Je crains de monter au *top* de l'échelle des émotions... et ensuite de tomber, de me briser à nouveau. Je ne connais pas encore certaines de mes limites, entre autres en ce qui a trait aux relations amoureuses. J'ai peur de l'amour. J'appréhende mes retrouvailles avec Joe – si je peux appeler notre rendez-vous de ce soir ainsi – depuis déjà un bon moment. J'ai assez attendu, je m'étais laissé jusqu'à la fin de l'année pour accomplir le dernier élément de ma liste. Nous sommes le 11 décembre ; il faut que je le fasse.

— Tu as raison, Steph. C'est comme si j'avais une première *date*... En fait, je ne crois pas que c'est une *date*.

— Vas-tu l'embrasser s'il te fait des avances ?

La question de Stéphanie va de soi, mais moi, je me demande plutôt comment je vais expliquer à Joe ma bipolarité.

— La Terre appelle la Lune, signale Steph. Tu rêvasses à ses baisers ?

Je soupire. Il y a un contraste entre la légèreté de ses propos et la lourdeur des réponses que je devrai donner aux questions que j'anticipe. Puisque je dois exercer ma spontanéité et que je ne peux pas prévoir comment se déroulera le souper avec Joe, je réponds à ma meilleure amie en tentant de chasser mes inquiétudes.

— Je ne sais pas, je me demande s'il va me faire autant d'effet qu'avant... Et s'il sera attiré par moi, et si je veux qu'il soit attiré par moi ou pas. Et, de toute manière, il s'en est passé, des choses, depuis le bal. Et Joe a fréquenté une fille, ajouté-je, c'est toi qui me l'as dit.

— La fille, c'était pour se changer les idées, il n'était pas intéressé.

— Je suis presque certaine qu'il ne sera pas attiré par moi comme il l'était avant, Steph. C'est à cause de la théorie du miel et des abeilles.

— Hein ? C'est quoi, cette histoire-là ?

— Eh bien, il paraît que les bipolaires sur un *high*, c'est comme du miel pour les abeilles. Ça attire les autres, ça fait coller les gars.

— Hilarant ! rigole Steph.

Je pouffe de rire aussi, même si j'y crois, à cette théorie farfelue. Je sais que, au fond, le miel, c'est la fille qui a une confiance inébranlable en son pouvoir de séduire. Et cette fille-là, ce n'est plus moi.

Tout ce qui est extérieur à mon corps est calme. Petite musique douce, lumière tamisée. Nous avons une table un peu à l'écart (Joe a pris soin de le demander lors de la réservation) afin que nous puissions discuter en toute intimité. Je n'ai presque rien dit du trajet, tout comme lui, d'ailleurs. On a parlé de sa nouvelle voiture, la BMW M4 Coupé noire avec laquelle il est venu me chercher. À la seconde où je me suis installée dans son nouveau bolide, j'ai remarqué son teint de surfeur, cette peau dorée à laquelle j'ai tant rêvé, et j'ai senti un léger malaise entre nous. Une tuque en laine calée sur le front, des jeans propres, un manteau plus classique que sport ; je l'ai observé en me demandant s'il avait changé de style ou si c'était son look pour notre rendez-vous, pour s'accorder avec le chic du restaurant.

Alors qu'il enlève son manteau et sa tuque, je constate un gros changement.

— Tu as coupé tes cheveux, c'est beau.

— Merci. Toi, tu es toujours aussi belle, me complimente-t-il. Tu as l'air bien.

Je me cache derrière mon menu. Une chance que j'ai pris une petite pilule pour calmer mon angoisse ; c'est une bonne béquille pour une situation comme celle-ci. Incapable de faire un choix, je commande le même repas que lui. Joe ne semble pas pressé de parler, on dirait qu'il est là pour m'écouter. Après tout, l'invitation vient de moi.

Je le détaille. Son chandail en coton long laisse paraître que sa forme physique est intacte. Je perçois les courbes définies de ses muscles et une image de lui nu me vient à l'esprit et me fait sourire (et rougir). Il sourit à son tour, ce qui me détend et me donne le courage de me lancer.

— Excuse-moi.

Je suis à moitié soulagée juste d'avoir prononcé ces deux mots. Je crois que ce sont les excuses les plus sincères que j'ai faites de toute ma vie.

— Tu n'as pas à t'excuser, Dorothée, tu n'as rien fait de mal. Au fond, je ne t'en veux pas. C'est l'incompréhension qui me tiraille. Je m'intéressais à toi après le party de Saint-Valentin, et on est devenus amis parce que tu n'assumais pas tes actions. J'adorais jaser avec toi à la bibliothèque, je te trouvais super intelligente et je voulais plus… et je sais que toi aussi. Puis c'est ce qui est arrivé le jour où tu m'as sauté dessus. Ensuite, c'est devenu trop intense pour moi. Du jour au lendemain, je suis passé de ton ami à l'homme de ta vie et tu me mettais de la pression avec tes histoires de mariage et tout. Tu t'es foutue de moi les mois suivants. Après, il y a eu le bal, et tu te collais sur Félix, ensuite tu voulais baiser et… tu t'es évaporée.

Ouf, je crois qu'il avait hâte de vider son sac. Je veux disparaître. Je sais que tout ce qu'il dit est vrai et ça m'apparaît aujourd'hui tout à fait irrationnel.

— Tu as le don de résumer les choses, lui fais-je remarquer, un brin sarcastique.

— Eh bien, tu as le don de mélanger un gars. Encore ce soir, tu es magnifique en face de moi, et je ne m'explique pas pourquoi tu m'as rappelé après presque six mois. Je ne sais même pas pourquoi j'ai accepté ton invitation.

Une larme coule sur ma joue. Joe ne la voit pas parce qu'il regarde vers le bas. Je baisse la tête aussi et je l'entends soupirer.

Est-il mal à l'aise de m'avoir dit tout ça ? Entend-il mon cœur battre ? Attend-il une explication ? Est-ce le bon moment pour faire mon *coming out* de bipolaire ? Est-ce nécessaire de le lui avouer ?

— Joe, je suis désolée parce que tu as subi les conséquences de ma maladie. Tu sais, dès la première secondaire, je voulais sortir avec toi. Chaque fois que tu avais des copines, je me disais que ça ne fonctionnerait pas parce que c'était moi, la bonne fille pour toi. Ça m'apparaissait évident. Aujourd'hui, ce qui est une évidence, c'est que je t'ai aimé exagérément, que tu as pris toute la place dans ma vie et que c'était trop, pour moi et pour toi.

Il m'écoute. Je continue.

— La nuit du bal, j'ai déraillé. Je t'épargne les détails, mais je me suis ramassée à l'hôpital et j'ai reçu un diagnostic de bipolarité.

Boum. La bombe est larguée – encore une fois. J'attends sa réaction. Je prends une gorgée d'eau pétillante. J'inspire profondément.

Il ouvre enfin la bouche.

— Je ne m'attendais pas à ça. C'est quoi, au juste… comme maladie ?

— Eh bien, en détail, c'est un peu compliqué, ce qui se passe dans le cerveau… Mais, pour résumer, c'est un mélange de périodes *high*, où il y a une surexcitation, un sentiment de pouvoir, de maîtrise de soi – en apparence seulement – et des autres. Et il y a les périodes *down*, comme une dépression, mais qui peuvent être déclenchées par un événement pas si dramatique que ça. Et, des fois, c'est stable. En gros, chez une personne bipolaire, il y a des émotions, comme l'amour, la joie, la tristesse, qui prennent le dessus sur tout, sur la rationalité et sur la capacité à réfléchir. Est-ce plus clair ?

— Humm…, fait Joe en me souriant, sans rire, mais sans trop saisir non plus.

— Joe, un bon exemple, c'est mon obsession de toi. Tu sais, je croyais sincèrement qu'on allait se marier et je te jure que mon amour pour toi était réel. Si réel qu'il a pris toute la place. Il y avait juste toi dans mon cœur. Juste toi et rien d'autre, pas d'amie, pas d'activités. Je vivais pour toi et ce n'était pas normal.

Je ne peux pas croire que je viens de dire ça. Ce n'est pas la réponse que j'avais préparée, mais c'est simple et vrai. La vérité, ça fait du bien, et ça me fait prendre conscience que je comprends de mieux en mieux ce qui m'arrive. Ça y est, l'angoisse s'est dissipée, je me sens à nouveau à l'aise en présence de Joe. Son air de « on s'en fout que tu sois bipolaire » aide beaucoup.

Il tend sa main vers la mienne, au-dessus de la table, et j'apprécie son geste délicat.

— Et aujourd'hui ? Comment vas-tu ?

Je lui dis tout, cette fois avec plus de fluidité. Je lui parle de mes médicaments et de leurs effets sur mon humeur, de mon emploi du temps et du sentiment d'être parfois seule au monde. Je lui avoue même que participer à des groupes d'entraide est pour moi une claque sur l'orgueil, parce que ça me force à accepter mon état, mais que c'est le moyen le plus efficace que j'ai trouvé pour m'aider. Il me raconte sa première session de cégep, la différence que ça fait de ne plus aller à la même école que son frère jumeau. Il effleure à peine le sujet de la gent féminine, notre statut d'ex-amoureux, d'amis ou d'amants en devenir étant loin d'être défini.

— Je trouve ça génial de jaser avec toi comme on le fait ce soir. Je pourrais passer des heures à te parler. J'ai l'impression de rencontrer la vraie Dorothée… ou de retrouver celle que j'ai connue à la bibliothèque.

— C'est vrai que c'est agréable.

— Il faut que je te dise, Do, que, même si on n'est pas sortis ensemble longtemps, tu es la fille qui a marqué mon secondaire. Il y a quelque chose de mystérieux chez toi qui va toujours m'attirer, me confie-t-il en soutenant mon regard… comme avant.

Le repas se termine avec un dessert copieux et les yeux de séducteur de Joe dans les miens.

Il conduit lentement. Arrivé devant chez moi, il se penche doucement. Je connais ce petit sourire en coin, le geste de sa main, qu'il pose sur ma nuque; il va m'embrasser. Je ferme les yeux une nanoseconde, les ouvre et… je lui présente ma joue, où il pose un doux baiser.

— Joe... j'ai passé une belle soirée et tu es super compréhensif... toujours aussi craquant... mais...

Je veux m'expliquer. Je n'ai pas d'excuses. Ce serait parfait de l'embrasser, surtout que je n'ai pas eu l'ombre d'un rapprochement depuis longtemps, mais un je-ne-sais-quoi bloque mon envie. Et, s'il y a une chose que j'ai apprise au cours des derniers mois, c'est à m'écouter.

— OK. C'est entendu. Reste que c'est le monde à l'envers que ce soit moi qui en veuille plus ! fait remarquer Joe, avec son air charmeur.

— Non, c'est le monde à l'endroit.

Je descends de la voiture et je ne suis pas certaine qu'il ait compris ma dernière réplique, mais ça m'importe peu. Je rentre avec le sentiment d'avoir accompli ma mission, mais sans plus. C'est un peu comme si j'avais vieilli : je ne me sens pas à la même place que lui. On n'a pas le même style de vie. Il sort beaucoup et a tout un nouveau groupe d'amis au cégep. Il fume encore des joints par-ci, par-là. À part sa coupe de cheveux militaire et son chandail à capuchon en moins, il n'a pas changé. Moi si. Je m'en rends bien compte.

Je ne peux pas croire que c'est aujourd'hui le 31 décembre. J'ai réussi à affronter la foule du centre commercial pour magasiner une robe avec Steph, pour le traditionnel party du jour de l'An de mes parents. Ma mère a choisi le thème « Blanc », cette année. Tout y passe, des fleurs au chocolat du dessert. C'est lumineux dans la maison !

À la même date l'an dernier, je n'aurais jamais pensé fêter la dernière soirée de cette année à la maison. Même mes parents croyaient que je serais dans un bar, mais il faut croire que mon plan a changé et que certaines traditions sont faites pour être réinventées. Stéphanie est enchantée de venir accompagnée de Jeff, elle ne s'est donc pas pomponnée avec moi. Ma meilleure amie n'a pas non plus eu à me convaincre de participer à la fête ; j'ai aidé maman à tout planifier. J'ai même invité la famille Rochon en entier, alors Félix et les parents de Steph sont de la partie. Joe ne sera pas là. Bien que nous ayons échangé quelques textos durant la dernière semaine, il n'y a rien de concret entre nous et c'est correct comme ça.

— Maman ! Ça fait vingt photos que tu prends, c'est assez.

— Vous êtes tellement belles ! s'exclame-t-elle en nous regardant, Stéphanie et moi.

Ma mère y va de son discours annuel : elle est heureuse d'avoir sous son toit les deux plus belles filles du monde, intelligentes, débrouillardes, fonceuses et prêtes à faire face à toute situation dans la vie. Elle est fière de nous et elle nous aime.

Oncle Arthur est aussi soûl que les autres années à l'approche de minuit. Il vient de s'emparer du micro et entame le compte à rebours.

— Dix ! Neuf ! Huit !

Je lance un regard à Steph et, sans avoir besoin de nous consulter, sans même nous parler, nous décidons de rester avec tous les invités au salon. Pas de vœux dans le garage cette année. Je suis entourée des gens que j'aime et, pour la première fois depuis cinq ans, je me sens bien dans tout ce brouhaha.

— Sept ! Six ! Cinq !

Nous devons être au moins cinquante, réunis dans le salon, à compter les dernières secondes de l'année. C'est bruyant et puissant.

— Quatre ! Trois ! Deux !

Un feu de Bengale dans une main, je ferme les yeux en faisant mes souhaits, mentalement : continuer à aller mieux, prendre soin de moi, prioriser ma santé, pouvoir faire mon entrée au cégep en août prochain. J'ouvre les yeux quand tout le monde crie «bonne année». Les gens s'embrassent, je cherche mes parents et Stéphanie parmi la foule attroupée au salon, la musique joue de plus en plus fort. Je me retourne et Félix, planté en face de moi, prend mon visage dans ses mains et me donne un baiser.

— Bonne année, ma belle Dorothée, me susurre-t-il à l'oreille. Je suis fier de toi et je me considère comme privilégié de faire partie de ta vie. Je te souhaite de continuer de t'épanouir, termine-t-il en m'embrassant de nouveau.

Je me laisse transporter. Je vis le moment présent.

— Merci, dis-je, gênée, me mordillant la lèvre, une vieille habitude dont je ne me déferai jamais.

Je n'avais pas remarqué la beauté de ses yeux avant ce soir, d'un brun si profond qu'ils paraissent noirs. Je n'avais jamais imaginé ses lèvres sur les miennes, encore moins anticipé que son baiser serait si bon.

— Bonne année à toi, Félix, finis-je par articuler, le cœur en joie.

Steph me tire par le bras et me fait un énorme câlin. Je regarde Félix du coin de l'œil, qui souhaite la bonne année à ses parents, et je remarque tout à coup qu'il porte le même smoking que le soir du bal des finissants.

Un sentiment de paix m'envahit. Je suis heureuse, je me trouve belle dans ma robe à volants, j'apprécie la soirée – pas trop, juste assez. Et j'ai eu un baiser. Je suis comblée.

Je vais avoir dix-neuf ans dans quelques mois. Assise dans ma chambre, je regarde par la fenêtre et je repense à ces douze mois qui viennent de passer. Tellement vite. Et ç'a été tellement dur. L'année de mes dix-huit ans s'est bel et bien avérée une année de changements ! Seulement, je n'aurais pas pu prévoir tout ce qui m'arriverait.

— Dorothée ! Je t'attends.

La voix de ma mère n'a pas changé et je l'entends toujours quand elle m'appelle du bas de l'escalier. Par contre, son ton m'agresse moins qu'avant. Aujourd'hui, on va magasiner avec Steph pour me refaire une garde-robe pour l'entrée au cégep. Au début, je ne voulais pas, parce que je me sens encore coupable pour tout l'argent que j'ai dépensé à l'insu de mes parents... mais, en même temps, comme ma mère le dit : « C'est une nouvelle vie. » Je le dis aussi, mais, dans ma tête, je me dis plutôt que c'est une « nouvelle moi ». De l'intérieur, surtout.

Je mentirais si je prétendais que le diagnostic fut tout de suite une bonne nouvelle. C'est arrivé comme une bombe. Et il a fallu plusieurs mois pour la désamorcer. Mais, maintenant que je connais et que je gère ma maladie, je suis heureuse de constater que je suis, avec ma différence, devenue comme les autres. Je me considère comme la minorité invisible. Et je suis bien contente que dans les formulaires il n'y ait pas de case pour « maladie mentale » à côté de « personne de couleur », « autochtone », « handicapé », etc.

— J'arrive, maman !

Avant de sortir de ma chambre, je me regarde dans le miroir. J'ai si souvent eu peur du regard que les autres portaient sur moi durant mes années au secondaire, mais aussi au cours de la dernière année. Pendant mon séjour à l'hôpital, ensuite durant la période où je m'y rendais comme patiente externe, je percevais le regard de ma meilleure amie, de mes parents, des médecins, de la psychologue, tout. Tous ces yeux posés sur moi. Certains avec peine. D'autres avec peur. J'y décelais la compassion. L'espoir. La neutralité. J'ai dû autoriser quelques personnes à regarder au plus profond de moi, pour m'aider. J'ai appris à « prendre soin de moi », une expression si simple, mais ô combien difficile à mettre en pratique !

— Dorothée ?!

Bon, je suis encore perdue dans mes pensées. Je ne veux pas faire attendre ma mère, notre relation va bien et je compte faire les efforts nécessaires pour que cela continue. Disons que les médicaments, ça m'aide à contrôler mes humeurs, et Steph m'a confié que j'étais « plus facile à vivre ». Pas facile à avaler comme commentaire. Reste que mon amie a raison. Les hauts sont moins hauts et les bas sont moins bas. J'ai découvert que, entre le noir et le blanc, il y a le gris. Plusieurs teintes de gris. Même chose pour les émotions. La découverte qu'autre chose que la peine et la joie existe est une révélation pour moi. Aujourd'hui, je peux dire que je suis déçue, excitée, contrariée, emballée, frustrée. Aussi banal que cela puisse paraître, mettre des mots sur mes émotions fut un travail ardu.

— Dorothée ? Je t'attends encore cinq minutes, pas plus.

Je jette un dernier coup d'œil à ma silhouette dans la glace. J'ai quelques kilos en plus et, ce qui retient mon attention, c'est le regard de moi à moi. Je me trouve belle.

Je descends et ma mère me détaille, comme d'habitude, puis fait un sourire en coin : elle perçoit ma bonne humeur.

En route vers chez Steph, on ne dit rien. Le silence est bon. Dans l'auto comme dans ma tête. Steph nous attend, assise sur les marches avant de sa maison. Félix est à ses côtés. Nos regards se croisent et il me fait un clin d'œil. Il sait et je sais que ce soir il m'appellera et viendra me voler un baiser, et restera peut-être pour la nuit. C'est comme ça, avec Félix. À petits pas, nous nous sommes rapprochés. Sans trop qu'on sache ce que ça allait donner, notre amitié et notre complicité se sont développées. Rien de compliqué et tout est bien dosé. On ne se cache pas, mais on ne s'affiche pas non plus. On garde notre intimité intime.

— Bonjour, Suzanne ; coucou, ma Do ! lance Stéphanie en s'assoyant sur le siège arrière.

— Salut, Steph ! Désolée si on est en retard, c'est ma faute, j'étais perdue dans mes pensées !

Et on se met à rire toutes les trois.

Voilà. Ma nouvelle vie. Simple. Ordinaire. Et tellement plus facile !

REMERCIEMENTS

Merci, Sandy et toute l'équipe des Éditions de Mortagne.

Merci, Marie-Pierre et Mariline.

Merci, maman et papa.

Merci, Ryan.

Si je vous remercie, vous savez pourquoi.

Si votre nom n'y est pas, c'est que je vous garde juste pour moi.

RESSOURCES AU QUÉBEC

Avant de craquer
www.avantdecraquer.com
1 855 CRAQUER

Revivre
www.revivre.org
514 738-4873
1 866 REVIVRE

L'Équilibre
www.lequilibre.org
418 522-0551

La Boussole
www.laboussole.ca
418 523-1502

Centre de crise de Québec (CCQ)
www.centredecrise.com
418 688-4240
1 866 411-4240

Fédération des familles et amis de la personne atteinte de maladie mentale (FFAPAMM)
www.ffapamm.com

Association canadienne pour la santé mentale (ACSM)
www.acsm.ca

SOS Suicide Jeunesse
www.sos-suicide.org
1 800 595-5580

Drogue : aide et référence
www.drogue-aidereference.qc.ca
514 527-2626
1 800 265-2626

Jeunesse, J'écoute
www.jeunessejecoute.ca
1 800 668-6868

Tel-jeunes
www.teljeunes.com
1 800 263-2266

Tel-Aide
www.telaide.org
514 935-1101

RESSOURCES EN FRANCE

S.O.S Amitié
www.sos-amitie.com
08 20 06 60 66

Suicide Écoute
www.suicide-ecoute.fr
01 45 39 40 00

SOS Dépression
www.sos-depression.org
08 92 70 12 38

DANS LA MÊME COLLECTION

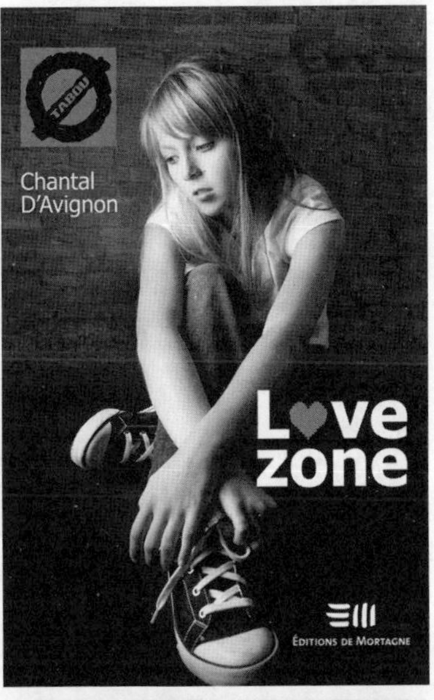

DANS LA MÊME COLLECTION

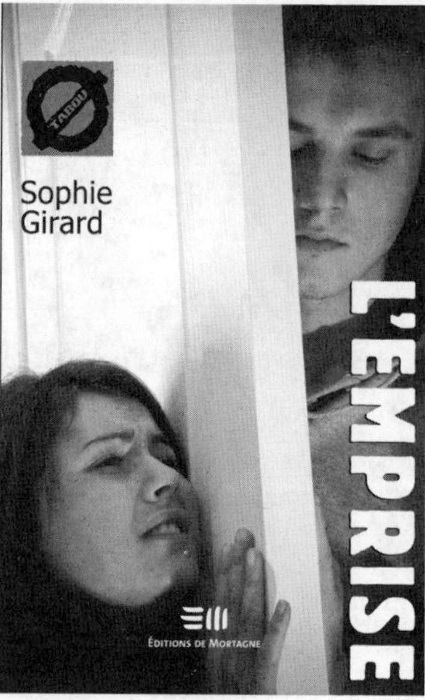

DANS LA MÊME COLLECTION

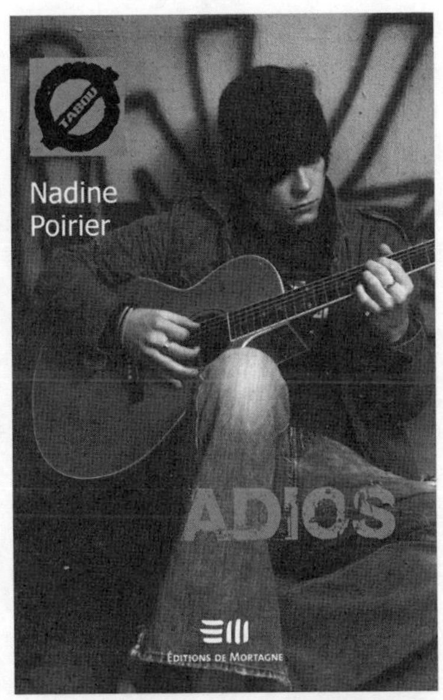

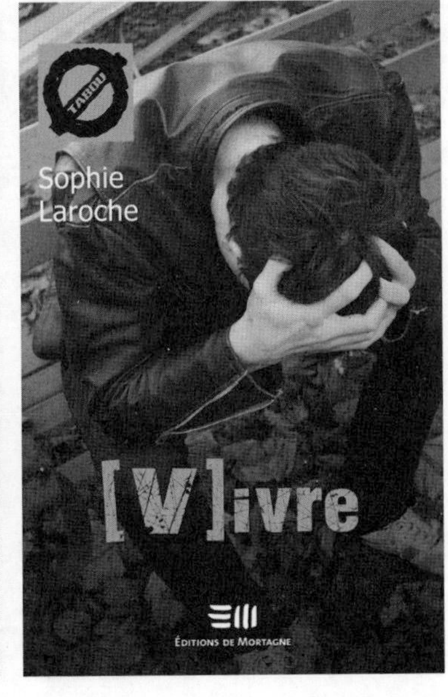

DANS LA MÊME COLLECTION

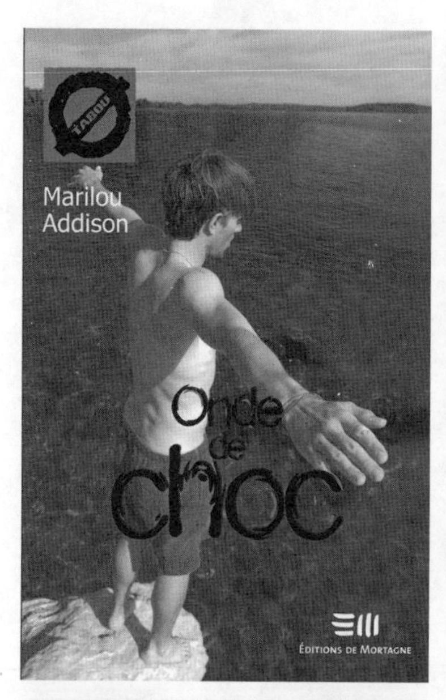

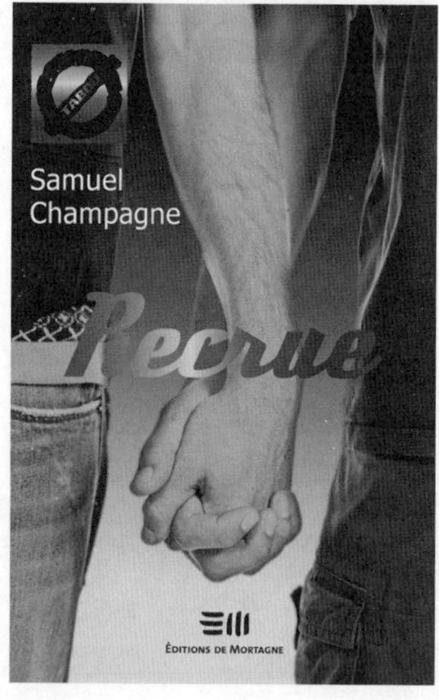

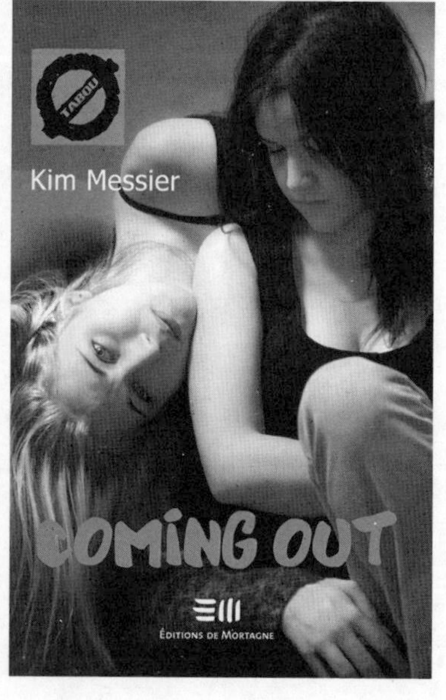

DANS LA MÊME COLLECTION

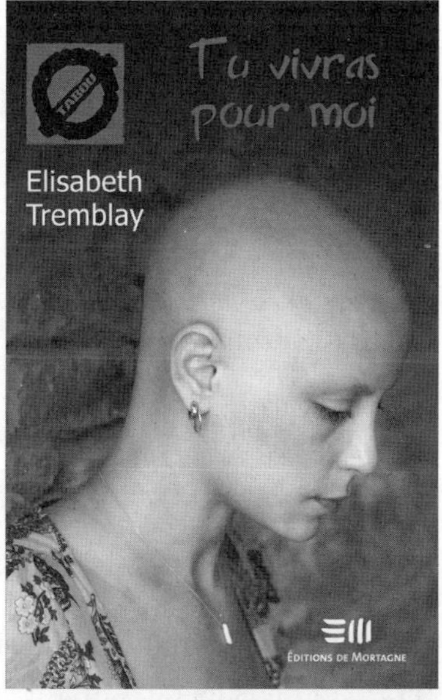

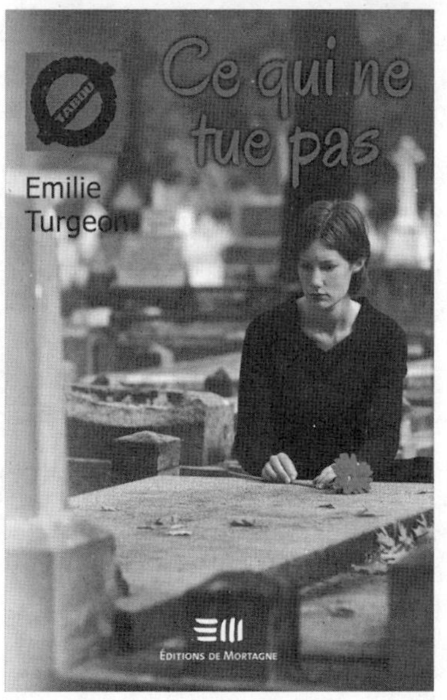

DANS LA MÊME COLLECTION

Parfois, la nature fait une erreur, et un enfant naît dans le mauvais corps. Il se livre alors à un horrible combat intérieur, acceptant difficilement son physique comme étant le sien. Lorsque cette personne prend conscience de sa différence, lorsqu'elle décide que le changement de sexe est sa seule option, un immense processus s'enclenche. L'auteur, lui-même en transition, utilise son expérience pour raconter tous les obstacles inhérents à la ***transsexualité****.*

« Oh, la jolie petite fille ! » Je suis pas mal sûr que c'est ce qu'on a dit quand je suis né. On a regardé entre mes jambes et le sort en était jeté. Après, ça n'a plus arrêté. « Regarde ses beaux cheveux longs, comme ceux d'une poupée », disait toujours mon grand-père. Et mon frère refusait que je reste dans sa chambre quand il était avec ses amis : « Tu ne peux pas jouer avec nous, je ne veux pas d'une petite sœur dans les pattes. » Puis j'entendais ma mère me complimenter : « Éloïse, regarde-toi, ma belle, tu as l'air d'une princesse dans cette robe. »

Éloïse. Je savais que c'était mon nom. Mais qui étaient la sœur, la belle, la poupée dont ils parlaient ? Je ne me reconnaissais pas dans ces mots, je me sentais différent et je ne comprenais pas pourquoi. Quelque chose en moi avait mal. Les miroirs et le temps ont répondu à mes questions. J'ai vu un corps de fille. Et pourtant… Je sais que ce n'est pas moi. Je suis un garçon. Un gars, un homme, un ti-cul, un *dude*… Appelez-moi donc Éloi.

DANS LA MÊME COLLECTION

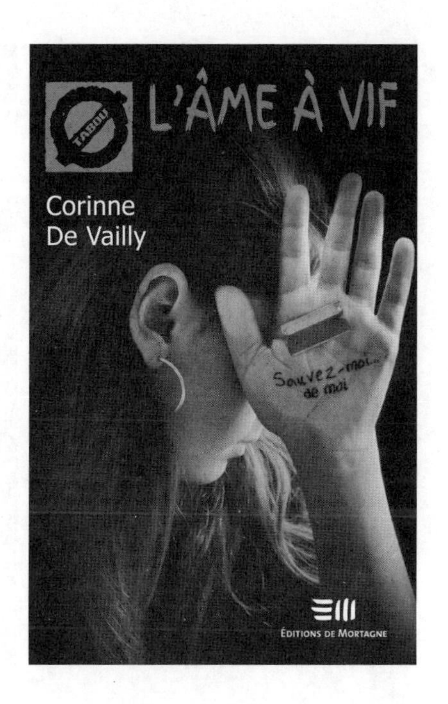

*Le nombre d'adolescents en détresse qui commettent un acte d'**automutilation** est en constante augmentation. Ce comportement serait adopté autant par les filles que les garçons, et la plupart auraient recours à cette solution pour évacuer un surplus d'émotions qu'ils se sentent incapables de gérer. Le soulagement est immédiat, mais temporaire, et c'est pourquoi il peut être très difficile de soigner ce trouble.*

La lame de l'exacto va et vient. Clic, clic! De plus en plus vite. Je l'approche du bout de l'un de mes doigts. Des frissons me parcourent. J'anticipe la douleur de la coupure et, en même temps, elle semble tellement... libératrice! Juste un petit trait, tout doucement, pour voir...

Je n'appuie pas trop fort, je ne veux pas mourir! Je veux seulement contrôler ma souffrance intérieure. Comment? Je l'enterre sous une autre souffrance: physique, celle-là. Quel sentiment de puissance! Mais... vais-je pouvoir arrêter?

À la suite de l'accident de son frère, dont elle se sent responsable, Angélique est submergée par le mal-être qu'elle ressentait depuis des années et que la tragédie a accentué. Elle s'isole graduellement avec sa douleur, et sa lame devient une bouée de sauvetage. Mais, inconsciemment, Angélique espère-t-elle que quelqu'un découvre ce qu'elle se fait et la sauve... d'elle-même?

DANS LA MÊME COLLECTION

*L'**intimidation** fait rage plus que jamais dans les écoles et elle a des conséquences désastreuses sur l'estime des adolescents. Quand on est témoin d'actes violents, et même de propos déplacés, on ne devrait pas garder le silence, mais dénoncer ceux qui s'amusent aux dépens de leurs victimes. Parce que les gestes font mal sur le coup, mais les paroles provoquent bien souvent des blessures pour la vie.*

Si on m'avait dit, il y a quelques années, que je triperais sur Stéphanie Dubuc, je n'y aurais jamais cru. Mais voilà, maintenant, je suis pris au piège. Je suis tombé sous son charme et je n'arrive plus à me la sortir de la tête.

Tous les autres considèrent Stéphanie comme une *nerd*, une rejet, mais pour moi, c'est la fille la plus parfaite de l'école. Toutefois, quand on est un sportif populaire, on n'a pas le droit d'aimer ce genre de personnes. On se fait juger et nos amis pensent qu'on est fou, qu'on est devenu *loser*, comme ces gens que tout le monde écœure parce qu'ils sont différents. J'en ai assez. Faut que ça arrête. Ça va trop loin !

Stéphanie croit que je la niaise, mais c'est faux ! Je l'aime tellement… Je dois réussir à la convaincre que mes sentiments sont réels. Je dois faire changer les mentalités dans cette école. Je dois surtout faire du ménage dans mes amis, parce qu'ils n'ont peut-être pas tous une influence positive sur moi, finalement.

DANS LA MÊME COLLECTION

L'histoire de Vincent est celle de milliers d'adolescents souffrant de ***TDAH****. Souvent incompris et considérés comme turbulents, ces jeunes ont besoin d'un soutien adéquat pour bien saisir et maîtriser leur condition. Avec les outils appropriés, ils ont toutes les chances d'accéder au succès et de réussir leur vie.*

À l'âge de huit ans, on m'a diagnostiqué un trouble déficitaire de l'attention avec hyperactivité ; TDAH, pour les intimes. Qu'est-ce que ça fait dans la vie, un « déficitaire de l'attention » ? Eh bien, ça conteste l'autorité, c'est irritable, ça s'impatiente rapidement, ça parle tout le temps, ça coupe la parole, ça argumente, c'est incapable de tenir en place plus de cinq minutes, ça dérange les professeurs et les autres élèves en classe, ça se fait du souci pour n'importe quoi et ça échoue souvent à l'école. Bref, ça fait chier tout le monde.

J'ai donc grandi avec une perception négative de moi-même, en ayant l'impression que tout ce que j'étais capable de faire, c'était me planter et déranger les gens autour de moi. J'en voulais à mes professeurs, à mes parents et à mes intervenants de n'avoir su me faire que des reproches, de m'avoir fait sentir coupable pour des comportements que je ne contrôlais pas. En vieillissant, un sentiment qui m'a toujours habité a commencé à prendre de l'ampleur. Ce sentiment, c'est la rage. La rage de vivre.

DANS LA MÊME COLLECTION

La ***cyberprédation*** *est un fléau qui s'immisce dans la vie de nos jeunes de façon insidieuse. La facilité d'accès aux réseaux sociaux rend la vérification de l'identité des utilisateurs presque impossible. Les faux marchands de rêves ont ainsi tout le loisir de berner leurs victimes plus ou moins consentantes, profitant de l'anonymat d'Internet pour obtenir ce qu'ils veulent.*

Peut-être es-tu comme moi. Loin d'être populaire à l'école, tu passes pas mal inaperçue, à ton grand désespoir, alors que tout ce que tu voudrais, c'est enfin te faire remarquer pour trouver l'amour. Mais être invisible n'est certainement pas le prérequis numéro un pour séduire ton prince charmant.

C'est arrivé un peu par hasard, mais j'ai déniché le mode d'emploi. Celui pour l'amour. Et avec le recul, je me rends compte que pour vivre une incroyable idylle, je ferais tout. Littéralement, tout. C'est un processus assez simple.

Étape numéro un : te trouver une bande d'amies vraiment cool et populaires, question de te tenir le plus près possible des beaux gars de l'école. Étape numéro deux : te créer un profil sur les réseaux sociaux ainsi que sur des sites de rencontre. Étape numéro trois : te dénuder devant ta webcam. Étape numéro quatre (impensable mais souvent inévitable) : pleurer toutes les larmes de ton corps en te demandant si tout ça, c'est bel et bien arrivé.

Achevé d'imprimer
sur les presses de
Imprimerie H.L.N.
Imprimé au Canada - Printed in Canada